NEW
서울대 선정
인문고전
60선

39
맹자

NEW 서울대 선정 인문 고전 ㊴

만화 맹자

개정 1판 1쇄 발행 | 2019. 8. 21
개정 1판 3쇄 발행 | 2025. 1. 11

허경대 글 | 정민희 그림 | 손영운 기획

발행처 김영사 | 발행인 박강휘
등록번호 제 406-2003-036호 | 등록일자 1979. 5. 17.
주소 경기도 파주시 문발로 197 (우10881)
전화 마케팅부 031-955-3100 | 편집부 031-955-3113~20 | 팩스 031-955-3111

값은 표지에 있습니다.
ISBN 978-89-349-9464-0
ISBN 978-89-349-9425-1(세트)

좋은 독자가 좋은 책을 만듭니다. 김영사는 독자 여러분의 의견에 항상 귀 기울이고 있습니다.
전자우편 book@gimmyoung.com | 홈페이지 www.gimmyoung.com

이 도서의 국립중앙도서관 출판예정도서목록(CIP)은 서지정보유통지원시스템 홈페이지(http://seoji.nl.go.kr)와
국가자료종합목록시스템(http://www.nl.go.kr/kolisnet)에서 이용하실 수 있습니다. (CIP제어번호 : CIP2018042961)

|어린이제품 안전특별법에 의한 표시사항| **제품명** 도서 **제조년월일** 2025년 1월 11일
제조사명 김영사 **주소** 10881 경기도 파주시 문발로 197 **전화번호** 031-955-3100 **제조국명** 대한민국
사용 연령 10세 이상 **⚠주의** 책 모서리에 찍히거나 책장에 베이지 않게 조심하세요.

미래의 글로벌 리더들이 꼭 읽어야 할 인문고전을 만화로 만나다

NEW 서울대 선정 인문고전 60선

39

맹자

허경대 글 · 정민희 그림

주니어김영사

| 기획에 부쳐 |

〈NEW 서울대 선정 인문고전60〉이 국민 만화책이 되기를 바라며

제가 대여섯 살 때 동네 골목 어귀에 어린이들에게 만화책을 빌려주는 좌판 만화 대여소가 있었습니다. 땅바닥에 두터운 검정 비닐을 깔고 그 위에 아이들이 좋아하는 만화책을 늘어놓았는데, 1원을 내면 낡은 만화책 한 권을 빌릴 수 있었지요. 저는 그곳에서 만화책을 보면서 한글을 깨쳤고 책과의 인연을 맺었습니다.

초등학교 때는 용돈을 아껴서 책을 사서 읽었고, 중학교 때는 학교 도서 반장을 맡아 도서관에서 매일 밤 10시까지 있으면서 참 많은 책을 읽었습니다. 그 무렵 헤밍웨이의《노인과 바다》를 손에 땀을 쥐며 읽으면서 인생에 대해 고민했고, 헤르만 헤세의《수레바퀴 아래서》를 읽으며 사춘기의 심란한 마음을 달랬습니다. 김래성의《청춘 극장》을 밤새워 읽는 바람에 다음 날 치르는 중간고사를 망치기도 했습니다.

당시 저의 꿈은 아주 큰 도서관을 운영하는 사람이 되어 온종일 책을 보면서 책을 쓰는 작가가 되는 것이었습니다. 나이가 들고 어느 정도 바라는 꿈을 이루었습니다. 큰 도서관은 아니지만 적당한 크기의 서점을 운영하고, 글을 쓰는 작가가 되었거든요. 저는 여기에 새로운 꿈을 하나 더 보탰습니다. 그것은 즐거운 마음과 힘찬 꿈을 가지게 해 주고, 나아가 자기 성찰을 도와주는 좋은 만화책을 만드는 일이었습니다. 이렇게 해서 만든 책이 바로 〈서울대 선정 인문고전〉입니다. 서울대학교 교수님들이 신입생과 청소년들이 꼭 읽어야 할 책으로 추천한 도서들 중에서 따로 60권을 골라 만화로 만든 것입니다. 인류 지성사의 금자탑이라고 할 수 있는 고전을 보기 편하고 이해하기 쉽도록 만화책으로 만드는 일은 쉬운 일은 아니었습니다. 약 4년 동안에 수십 명의 학교 선생님들과 전공 학자들이 원서의 내용을 정확하게 전달할 수 있도록 밑글을 쓰고, 수십 명의 만화가들이 고민에 고민을 거듭하면서 만화를 그려 60권의 책을 만들었습니다.

〈서울대 선정 인문고전〉이 완간되었을 무렵에 우리나라에 인문학 읽기 열풍이 불기 시작했습니다. 〈서울대 선정 인문고전〉은 인문학 열풍을 널리 퍼뜨리는 데 한몫을 하면서 독자들의 뜨거운 사랑과 관심을 받았습니다. 덕분에 지금까지 수백만 권이 팔리는 베스트셀러가 되었습니다. 그 사랑에 조금이나마 보답을 하기 위해 《칸트의 실천이성 비판》, 《미셸 푸코의 지식의 고고학》, 《이이의 성학집요》 등 우리가 꼭 읽어야 할 동서양의 고전 10권을 추가하여 만화로 만들었습니다.

〈서울대 선정 인문고전〉은 어린이와 청소년이 부모님과 함께 봐도 좋을 만화책입니다. 국민 배우, 국민 가수가 있듯이 〈서울대 선정 인문고전〉이 '국민 만화책'이 되길 큰마음으로 바랍니다.

손영운

| 글작가 머리말 |

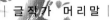

착한 본성을 회복시켜 올바른 사람으로 거듭나게 하는 지혜의 책

'맹자'는 공자와 함께 우리가 어렸을 때부터 귀에 박히도록 들어왔던 이름입니다. 일찍이 공자는 고대 요순 임금의 덕을 칭송했으며, 우임금과 탕임금 그리고 문무주공 같은 분들의 덕을 높이 받들었습니다. 공자는 그 분들의 덕과 같이 세상의 모든 사람들이 서로 사랑하고, 너그럽고 예의 바른 행동을 하며 더불어 살아가도록 이끌어 주는 '인'(仁)을 주장했지요. 공자의 이런 인 사상을 이어받은 맹자는 통치자들에게 제왕의 도(道)인 인의(仁義)의 정치를 주장했어요.

그 당시의 많은 통치자들은 힘으로 나라를 다스리고자 했습니다. 맹자는 힘으로 하는 정치는 나라와 백성을 망하게 하는 패도 정치라고 부정하고, 백성의 뜻을 존중하는 민본 정치, 즉 왕도 정치로 다스려야 한다고 주장했습니다. 통치자가 백성을 다스릴 때는 '민심이 곧 천심이다.', 즉 백성의 뜻이 곧 하늘의 뜻이라는 것을 잊지 말고, 나랏일을 신중하고 너그럽게 행하고, 백성들에게 믿음을 주며, 예에 맞도록 하여 반드시 옳고 그름을 분별한 뒤에 올바른 곳으로 나아가야 한다고 했어요.

사람의 욕심은 끝이 없습니다. 그 욕심은 일에 따라 천만 가지로 다르게 생길 수 있어요. 《맹자》는 바로 이러한 사사로운 욕심을 물리치도록 해 주며, 하늘이 주신 본래의 착한 성품으로 회복할 수 있도록 도와주는 글입니다.

1,000년 전, 송나라 때 '정이' 라는 사람이 "성인의 도를 관찰하려면 반드시 《맹자》부터 시작해야 한다."라고 한 것은 그 책이 우리의 미래를 밝혀 줄 가장 이상적인 책이기 때문이었을 겁니다. 미래의 사회에서 인간 관계를 더욱 원활하게 해 주고, 우리의 삶을 더욱더 풍요롭게 해 줄 수 있는 지혜라고 믿었기 때문이겠지요.

《맹자》는 2,300년이 지난 오늘날까지 우리들의 피폐해진 마음을 치유해 주고, 잃어버린 착한 성품을 회복해서 올바른 사람으로 거듭나게 해 주며, 통치자나 조직의 지도자에게 다스림의 길잡이가 되어 주고 있습니다.

다시 말하면, 우리 모두의 삶이 더욱 풍요로워지게 하고 우리의 세상을 밝고 아름다운 세상이 될 수 있도록 만들어 주는 것이지요. 맹자의 말씀은 곡식을 자라게 하는 밑거름이며 비료와 같습니다. 토양에 양분을 채워 주는 것과 같은 이치이지요. 그래서 《맹자》가 우리의 미래를 더욱더 윤택하게 만들어 줄 수 있는 도구라고 생각합니다.

끝으로 맹자님의 말씀을 이해하기 쉽도록 그림으로 표현해 주신 정민희 선생님에게 감사를 전하며, 편집에 힘써 주신 주니어김영사의 모든 직원 여러분에게도 감사합니다. 옆에서 응원해 준 아내 희원과 딸 윤정, 아들 지웅에게도 고마움을 전합니다.

허경대

| 그림 작가 머리말 |

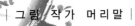

맹자의 큰 지혜를 그려 낼 수 있었던 소중한 기회

여러분들도 다 알다시피 맹자는 기원전 372년에서 기원전 289년까지 살다간 사상가입니다. 전국시대에 배출된 제자백가 중 한 사람이지요. 약 15년 동안 여러 나라를 돌아다니며 자신의 철학을 주장하고 다녔지만 아무도 맹자의 사상을 받아들이지 않았습니다. 이에 실망한 맹자는 고향으로 돌아가 제자들을 가르치며 살았다고 해요. 그리고 맹자와 그 제자들의 대화를 기술한 《맹자》는 유교의 주요한 경전으로 전해지고 있지요.

동양 사상에 관심이 많았던 제게 맹자는 너무나 좋아하는 사상가 중 한 사람입니다. 그래서 사서 중 하나인 《맹자》는 관심 읽게 읽었던 책 중에 한 권이었습니다.

앞으로 중국과의 교류가 더욱더 활발해지면서 중국 문학과 중국 역사를 많이 알아 둬야 하는 우리로서는 주니어김영사의 '서울대 선정 인문고전 60선' 중 《맹자》의 의미가 크다고 생각합니다.

개인적으로는 맹자 외에도 공자, 노자 등 너무나 깊고 심오한 사상가가 많이 있지만, 대중적으로 많이 알려져 있는 맹자를 그리게 돼서 영광이었습니다. 하지만 부담도 컸습니다. 이 미흡한 실력으로 그분의 깊고 넓은 이야기를 그려 낼 수 있을까 하고 말입니다. 고민하던 중 서재에 꽂혀 있던 《맹자》를 다시 꺼내어 읽고 또 읽기를 몇날 며칠. 그러다 보니 저 나름대로 갖고 있던 맹자의 이미지가 구체적으로 잡혀 갔고, 허경대 선생님의 글을 읽으면서 한번 해 보자 하는 자신감이 들기 시작했습니다.

평소 가깝게 지내던 동료들과 선후배님들에게 작업의 부분들을 도와달라고 하고 드디어 작업에 착수했지요. 그러나 이상하게도 개인적인 사정으로 일이 자꾸 꼬이게 되었고, 일은 더디게만 진행되었습니다.

'에이, 차라리 다른 사람에게 넘기고 포기할까?' 하는 생각이 들 때도 있었습니다. 아마 저의 이런 모습을 맹자님이 보신다면 이렇게 한 말씀 하실 것 같았지요.

"물이 흐르다 구덩이를 만나면 그 구덩이를 다 채운 다음에 앞으로 나아가는 법이지, 건너뛰는 법은 없다!"

뜻인즉, 지름길에 연연하지 말고 우직하게 정도(正道)를 고집하라는 것입니다. 그래서 저는 부족하고 어설프지만 최선을 다해 그 분의 큰 지혜를 이 작은 그릇에 담아 보겠다는 마음으로 작업에 임했습니다.

아무쪼록 저의 이런 노력이, 여러분이 맹자의 사상을 이해하는 데 작은 길잡이가 되길 빕니다.

정민희

| 차 례 |

제1장
《맹자》는 어떤 책일까?
너, 이 책에 대해 알고 싶다고 그랬지?
그래! 어디서 그 책을 가지고 왔니? 동양의 오래된 고전 중 하나라서 아주 궁금했어.
그래? 좋아, 우선 이 책에 나온 중국의 역사적 배경부터 얘기해 줄게.
중국은 인류 4대 문명의 발생지 중 하나인 만큼 오래된 역사를 지니고 있지.
참고로 4대 문명은 이집트 문명, 메소포타미아 문명, 인더스 문명, 황하 문명이야.
나일강
유프라테스강
인더스강
황하강
이집트 문명
메소포타미아 문명
인더스 문명
황하 문명
출토된 유물로 미루어 짐작할 때 황하 문명은 기원전 5000년경 하남성에 위치한 앙소 마을과

기원전 2500년에서 1800년 사이 산둥반도의 용산 마을에서 시작되었다고 볼 수 있어.
용산이라면 ……?
서울에 위치한 그 용산이 아니야!
이들 마을 이름을 붙여 앙소문화, 용산문화라고 부르기도 하는데 이때가 신석기 시대였어.
중국의 역사는 신들이 지배하던 전설 시대, 즉 삼황오제(三皇五帝) 시대부터 역사가 시작되는데 이때가 신석기 말기쯤으로 추정되고 있어!
신선이 사는 곳
에헴!
《상서》* 기록에 의하면 불을 발명하고 음식을 익혀 먹을 수 있는 방법을 알게 한 수인씨(燧人氏)와
불장난 하면 안 돼!
와!

*상서 – 《서경(書經)》을 말함.

사냥 기술을 처음으로 생각해 낸 복희씨(伏犧氏)
쉭!
휙
그리고 농경을 발명한 신농씨(神農氏)가 바로 삼황(三皇)이며
일해!
또 《사기》* 기록에 의하면 황제(黃帝), 전욱(顓頊), 제곡(帝嚳), 요(堯), 순(舜)임금을 오제(五帝)라고 했어.
오!

*《사기》 – 사마천이 지은 중국 역사책.

황제는 무력으로 중국을 최초로 통일하고 문자, 역법, 궁실, 의복, 화폐, 수레 등의 문물제도를 창안한 최초의 군주였고
문자
역법
궁실
화폐
의복
수레
전욱과 제곡에 대한 뚜렷한 기록은 남아 있지 않지만, 그 뒤를 이은 요순 임금에 대해서는 많은 기록이 있어.

요임금과 순임금의 높은 덕망은 중국 역대 제왕 중에서 지금까지도 가장 추앙받고 있는 인물이지.
그건 그렇고 《맹자》 책에 대한 얘기는 언제 할 거야?
이제 곧 나와.
기원전 4세기에 노(魯)나라에서 태어난 맹자는
바로 《중용》을 지은 자사(子思)의 문인에게 가르침을 받으셨거든.
공자가 주장한 인(仁) 사상을 받아들여서 학문의 도를 깨친 맹자는
仁
제나라에 건너가서 선왕(宣王)을 섬겼으나 선왕이 맹자의 가르침대로 행하지 못했어.
그게 아니죠!
그래서 양(梁)나라 혜왕(惠王)에게 갔지만 그 역시 맹자가 유세*하는 바를 행하지 못했어.
미치겠군….
*유세(遊說) – 여러 곳에 돌아다니며 자신의 뜻을 말함.
그후 추(鄒)나라 목공과 등(滕)나라 문공에게 가서도 유세를 했으나 결국 그의 정치적 이상을 실현하지 못했어.
아~ 설 곳이 없도다.
《맹자》란 책은 맹자가 여러 나라를 다니면서 유세한 언행을 기록한 책이야.
맹자

《맹자》는 이렇게 구성되어 있어.
맹자
孟子
양혜왕
상편 – 양나라 혜왕에게 인의로 정치할 것을 요구하는 내용과 제나라 선왕을 만나 유세하는 내용으로 구성
하편 – 주로 제나라 선왕과 문답하는 내용과 등나라 문공과 문답하는 내용으로 구성
공손추
상·하편에는 주로 제자 공손추가 스승인 맹자에게 의심스러운 것을 물어보고 그것에 대답하는 내용으로 구성
등문공
상·하편에는 주로 등나라 문공의 물음에 답하는 내용과 묵가의 제자와 맹자의 제자들의 문답도 중간 중간에 함께 구성
이루
상·하편에는 천하를 다스리는 법도에 대해서 주로 구성
만장
상·하편에는 제자 만장의 물음에 대답하는 내용이 주로 구성
고자
상·하편에는 맹자와 사상을 달리 했던 고자의 물음에 대응하는 말씀이 주로 구성
진심
상·하편에는 사람의 마음을 다하여 본성을 알도록 요구하는 내용으로 구성

책 내용은 제후들이나 제자들과의 대화를 자세히 기록하였으며, 대화의 핵심은 인의 정신, 곧 '남을 사랑하는 정신'이야.

그것은 각 권마다 요순 시대 3대 덕과 공자의 인(仁)의 뜻이 펼쳐져 있기 때문이야.

맹자는 인의로 정치를 한다면 백성들이 왕을 절대적으로 신임하고
또 그 왕을 믿고 의지할 수 있을 거라고 했어. 그렇게 되면 백성들은 요순 시대와 같이 태평성대를 누릴 것이고
천하의 백성들이 그와 같은 군주 밑으로 앞다투어 모여든다는 것이지.
결국에는 천하를 전쟁 없이 평화적인 방법으로 통일할 수 있게 된다는 얘기야.
《맹자》에는 공자의 인의 사상과 함께 맹자의 사단론도 들어 있는데
四端
'사단'이란 남을 불쌍히 여기는 마음과 부끄러워하는 마음, 공경하는 마음, 옳고 그름을 판단할 수 있는 마음인 네 가지 성품을 가리키는 말이지.
불쌍히 여기는 마음
부끄러워하는 마음
공경하는 마음
옳고 그름을 판단할 수 있는 마음

맹자는 사람들이 네 가지 선한 마음을 지니고
태어난다고 하는 성선설을 주장했어.
응 애예요~♪
이러한 네 가지 선한 성품들이 악함에 물들여지지 말고
성인으로부터 선한 행동을 계속 본받아 넓혀서 밝은 성품을
지니면 모두 성인의 경지에 이를 수 있다는 뜻이야.
또 《맹자》에는 도덕을 중시하는 내용도 들어
있는데 도덕으로써 존귀하고 비천한 것의 우월을
가리도록 했어.
德
또 백성들과 함께 즐기는 민본주의의 중요함을 얘기하고,
생명체는 모두가 천명*이 아닌 것이 없다는 천명사상,
전쟁 무용론 같은 평화주의 내용들도 실려 있지.

*천명(天命) – 하늘이 인간에게 부여하는 명령.

옛날 양씨(楊氏)라는 사람이
말하길
《맹자》라는 책은
인심을 바로
잡고자 하는 것으로
사람으로 하여금 마음을 보존하고
성품을 길러 그 풀어놓은 마음을
바로잡으려고 했다.
인, 의, 예, 지를 논함에 사단의
마음으로써 실마리를 찾았고
부정한 학설의 폐해를 논하면서 자신도
모르게 좋지 못한 마음이 생겨나
정치적인 일에 해를 끼친다고 했으며
군주를 섬기는 일에서도 군주의
잘못된 마음을 바로잡으면
나라가 바르게 되고
사람의 마음이
바르다면
모든 일은 저절로
할 것이 없다.
맞는 말씀이야! 우리도 지금부터
마음을 비우고 이 책을 끝까지
읽어서 많은 것을 배우는 거야.
좋았어

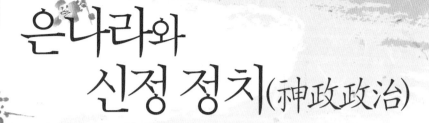

은나라와 신정 정치(神政政治)

중국 최초의 왕조로 밝혀진 은나라 왕조는 국가의 형성과 발전 과정이 아직까지도 정확히 밝혀져 있지 않습니다. 그러나 최근에 은대의 유물들이 발굴되어 그것을 통해 미루어 볼 때, 은 왕조는 *룽산 문화권 기원을 갖고 있는 것으로 추정하고 있어요.

실제로 신석기 말기 즈음, 대륙 중원에는 읍(邑), 국(國)으로 불리는 도시들이 있었는데 그 도시국가들 중에서 하나인 상읍(商邑)이 점차 세력을 키워서 기원전 1500년경 허난성 안양현에 정착했어요. 그리고 그 주변의 약소국가들을 모두 복속시키고 은나라를 건국했어요.

은나라에 복속한 연맹부족들은 정치적 복속의 표시로 은나라 왕실의 제사를 함께 받들었습니다. 그리고 거북이 뼈와 짐승들의 뼈인 *갑골을 조공으로 받쳤으며, 때때로 노역을 제공했을 것이라고 추정해요.

그 대가로 은나라 왕실에서는 연맹부족들 간에 어려운 문제가 있으면 병력을 지원했으며, 필요할 때에는 연맹부족들에게서 군인을 모았을 것이라고 추정해요. 이 같은 점을 미루어 볼 때 은나라의 통치력은 상당히 컸다고 여겨집니다.

은나라의 통치 방식에서 가장 특이한 점은 *정문을 통한 신정 정치(神政政治)였어요.

발굴된 *복사의 기록에 의하면, 은나라 왕은 모든 내외 생활과 정책 결정을 *귀복의 정문(貞問) 결과에 의해 실시했다고 해요.

천지나 산천, 조상의 제사, 전쟁, 농사의 길흉 등의 일에 대해서 귀복, 골복(骨卜)에 의해 신의 뜻을 타진하고 그것으로 일을 결정했다는 뜻이에요.

귀복(龜卜)과 골복(骨卜)에 나타난 신의 뜻을 판독했던 사람은 은나라 왕을 포함한 정인(貞人) 집단이었을 것이라고 추정하고 있어요.

이 집단은 은나라 왕족을 포함한 연맹의 부족에서 차출된 사람들로, 그들은 정문(貞問)을 통해 신의 뜻을 판독해 정책을 결정했던 사람들이었어요. 이러한 정인 집단은 단순히 신의 뜻을 타진하는 주술적 행위를 했다기보다는 국가 통치적 일환으로 정치적, 외교적 행사를 정문을 통해 주관했다고 할 수 있어요. 이런 점으로 볼 때 은나라의 정치 형태는 신의 대리자가 지배권을 행사했던 신정 정치라고 말할 수 있습니다.

*룽산 문화권(龍山文化圈) – 중국의 고대 문화는 크게 두 부류의 문화로 나눌 수 있어요. 바로 양사오 문화권(仰韶文化圈)과 룽산 문화권(龍山文化圈)인데, 양사오 문화권(仰韶文化圈)은 시난 문화권(西南文化圈)이라고도 하며, 허난성 양사오촌을 중심으로 발달했어요. 룽산 문화권(龍山文化圈)은 산둥반도의 룽산현을 중심으로 발달한 문화권이에요.

*갑골(甲骨) – 당시 거북이 뼈와 짐승들의 뼈는 점복(占卜)에 필요한 재물이었어요. 점복이란, 사람의 지능으로는 예측할 수 없는 미래의 일이나 알지 못하는 일을 점쳐서 길흉을 예견하는 일이에요.

*정문(貞問) – 정인을 통해 점괘를 묻는 것을 말해요. '정인'은 은나라 때 거북점을 주관하고 점괘를 판단하던 점복관이에요.

*복사(卜辭) – 고대 중국인의 주술의례를 형상화한 상형문자로 점을 친 내용을 말해요.

*귀복(龜卜) – 거북이 뼈와 짐승들의 뼈에 점을 치던 행위를 가리켜요.

난세 중의 난세였던 춘추전국시대

춘추전국시대란 중국의 고대 시대를 일컫는 말로, '춘추' 라는 시대와 '전국' 이라는 시대를 합쳐서 부르는 말이에요. 그러니까 고대 중국 역사 중 기원전 770년부터 기원전 403년까지를 '춘추시대' 라고 부르는데, 이것은 공자가 기록한 노나라 역사책《춘추(春秋)》에서 비롯되어 그렇게 부르게 되었습니다.

그리고 기원전 403년부터 진나라 시황제가 중국을 통일하는 시기, 즉 기원전 221년까지를 전국시대라고 부르는데, 이것은 기원전 50년경 전한(前漢)시대 말기에 유향(劉向)이라는 사람이 기원전 4세기 때부터 진나라가 통일할 때까지 각 나라들의 전술과 책략들을 기술해 놓은《전국책(戰國策)》이라는 책 이름을 따서 * '전국시대' 라고 부르게 되었습니다.

기원전 11세기, 무왕이 주나라를 세운 때부터 계속 서쪽 호경에 도읍을 정하고 있었으나, 당시 변방 서쪽에 위치한 *견융족의 잦은 침입으로, 기원전 770년 수도를 동쪽으로 옮기게 되었습니다. 이때부터를 춘추시대라고 부릅니다.

그후 기원전 403년, 대륙 중원에 위치한 진(晉)나라가 내분이 일어나 세 나라로 쪼개져 한나라, 위나라, 조나라로 독립했던 시기부터 진(秦)나라가 중국을 통일했던 기원전 221년까지를 *전국시대라고 부릅니다.

춘추시대 초기만 해도 크고 작은 제후국들이 대략 100에서 180여 개국이 있었을 것이라고 짐작되어요. 세월이 갈수록 주나라 왕실의 힘은 점점 약화되었으며, 크고 작은 주변 제후국들 간에 끊임없는 싸움들은 계속되었습니다. 약소국은 힘 있는 나라에게 흡수 합병되어 몰락해 갔으며, 살아남은 강한 제후국들 간의 패권 다툼은 커져만 갔습니다.

춘추시대에 활약했던 패주를 보면 제나라 환공, 진나라 문공, 초나라 장왕, 오나라 합려, 월나라 구천 등을 들 수 있는데, 이들을 춘추시대의 영웅, 즉 춘추오패라고 불렀어요.

춘추시대에서 전국시대로 넘어가는 과정은 중원에 위치한 진(晉)나라가 내분으로 인하여 한(韓)씨, 위(魏)씨, 조(趙)씨의 세 나라로 쪼개져 분열되는 과정, 즉 기원전 403년부터 시작됩니다.

전국시대로 접어들면서 당시 전국 7웅이었던 진, 한, 위, 조, 제, 연, 초나라 등의 군웅들의 할거로 밀고 밀리는 전쟁이 200년 동안 이어졌어요. 전국시대 말기에 이르러 서쪽의 진(秦)나라가 먼저 국경 옆에 있던 한(韓)나라를 멸망시키고 조(趙)나라, 위(魏)나라를 차례로 멸망시켜 갔으며, 끝내는 초(楚)나라, 연(燕)나라, 제(齊)나라를 멸하여 6국을 모두 병합했습니다. 이로서 전국시대의 막이 내리고, 기원전 221년 진(秦)나라 영정(嬴政)이 최초로 통일제국인 진나라의 황제 자리에 올랐습니다. 그가 바로 진시황이었습니다.

* 전국시대(戰國時代) – 전국시대란 진(晉)나라의 대부 조(趙), 위(魏), 한(韓)의 세 가문이 주나라 왕실로부터 정식 제후로 공인 받으면서 시작되었어요.

* 견융족(犬戎族) – 견융이란 고대 중국 산시(陝西) 성에 살던 부족이에요.

제2장
맹자는 누구인가?
맹자(孟子)는 전국시대 때 대략 기원전 372년 노(魯)나라의 추(鄒) 지방에서 태어났어.
응애
추
추 지방이란 현재 중국 산둥반도에 있는 산둥성(山東省)쯤 될 거야.
본래 이름은 가(軻)였으며, 자는 자여(子輿) 또는 자거(子車)라고 해.
본래 이름이 가인데 왜 맹자라고 불러?
그건 존칭의 의미가 있어.
옛날에 학문을 이루어 성인의 경지에 이르게 되면 성씨 뒤에 '자' 라는 글자를 붙여서 그분을 높여 불렀던 거야.
묵자
순자
공자
장자
노자
맹자
어릴 때 아버지를 여의고 홀어머니 밑에서 자란 맹자는
훌륭한 어머님의 가르침을 받았지.
맹자 어머니는 아들의 교육을 위해 세 번이나 이사를 했는데
이를 가리켜 맹모삼천지교 라고 해.

처음 공동묘지 가까이에 집을 정했는데
맹자가 매일 장례 행렬과 장례식 흉내를 내는 거야.
아이고~ 아이고~
안 되겠어.
그래서 곧바로 시장 가까이로 이사를 했는데
골라! 싸구려~ 싸구려~
이번엔 장사꾼 흉내?!
마지막으로 학교 가까이로 집을 옮겼더니 맹자가 아주 즐거워하며 예의범절의 흉내를 내고 글을 읽는 거야.
하늘천 따라지 가마솥에 누룽지~
옳거니!!
또 단기지계*의 일화도 있어.
몸조심하고 공부 열심히 하렴.
예, 어머니.
집을 떠나 멀리서 유학을 하던 맹자는
도중에 어머니를 보고 싶어 그만 집으로 돌아온 거야.
어머니~
어머니는 마침 베틀에서 베를 짜고 있었는데 반가운 마음을 감추고 맹자에게 물었어.
너의 학문이 어느 정도냐?
그저 그렇습니다!
그러자 어머니는 아무 말 않고 짜고 있던 베를 칼로 잘라 버렸어.
그리고 놀라는 맹자를 앉혀 놓고 차분하게 설명했어.
네가 학문을 완성하지 못한 것은
내가 짜던 베를 다 완성하지 못하고 끊어 버리는 것과 같다.

*단기지계(斷機之戒) – 베틀의 실을 끊어 훈계함.

맹자는 순간 깊이 뉘우치고 어머니가 가르쳐 준 교훈을 마음속 깊이 간직한 채
부끄럽구나…
다시 돌아가 열심히 학문에 전념해 마침내 학문의 도를 깨우치는 성인이 되었지.
일찍이 맹자는 공자의 손자인 자사(子思)의 문하생에게 학문을 배웠어.
훗날 도를 깨우친 맹자는 그의 나이 41세 때부터 추나라의 목공을 비롯해 제(齊)나라, 임(任)나라, 송(宋)나라, 등(滕)나라 같은 여러 나라로 다니면서 유세(遊說)를 했어.
추
제
임
송
등
힘들다
맹자가 그토록 여러 나라로 유세를 다닌 뜻은 군주들로 하여금 '인의(仁義) 정치'를 펼쳐
仁義
백성들이 굶주려 죽거나 전쟁터에 나가서 죽는 이도 없고, 온 천하가 요순시대와 같이 태평성대를 이루는 거였어.
그러나 군주들은 맹자의 뜻을 잘 이행하지 못했어.
맘에 드는 군주가 없네….
여러 나라로 유세하고 다녔지만 뜻을 이루지 못하자 84세(기원전 289년)로 그가 세상을 떠날 때까지 고향에서 제자들을 가르치며 책을 썼어.
맹자가 주장한 사상은 그의 책에 잘 나타나 있는데
孟子

의(義)를 강조하고 이(利)는 멀리하는 이상주의를 말했어.
利
백성과 함께하는 민본주의도 맹자의 주요 사상 중 하나야.
〈양혜왕〉편에서는 군주는 백성들과 함께 더불어 즐기는 군주가 되어야 한다고 했고
점심 살게요~
〈진심〉편에서는 천하에 가장 귀중한 것은 백성이라고 했지.
仁
우루루
와아
민심을 잃으면 천하를 잃는다는 것을 강조했어.
그리고 어려운 처지의 사람을 보면 동정심이 생기는 측은지심(惻隱之心)과
하하하
자신의 잘못에 대하여 부끄러워하는 마음과 착하지 못한 것에 대한 미워하는 마음인 수오지심(羞惡之心)
반성문
어려운 사람을 위해 양보하는 마음인 사양지심(辭讓之心)
착함을 옳게 여기고 그 착하지 못한 것을 그르게 여기는 마음인 시비지심(是非之心) 등
아…
이 네 가지 선한 마음을 태어날 때부터 가지고 있다고 말했는데 이를 가리켜 '성선설'이라고 해.
응~애

맹자의 성선설에 대해 훗날 순자라는 사람이 성악설을 내세워 반박 논쟁이 벌어지기도 했어.
성악설
순자는 맹자보다 60여 년 후대 사람으로 사람의 본성은 태어날 때부터 악한 것이라고 주장했었어.
으-악
하지만 차츰 착함을 배우고 수양을 쌓게 되면 비로소 성인의 경지에 이르게 된다는 거야.
열공
수양을 쌓아야 성인에 이른다는 건 같지만 출발점은 정반대인 셈이지.
착한 것을 더욱 착하게!
악한 것을 착하게!
이런 논란은 오늘날까지 계속 되고 있으므로 맹자 얘기로 돌아갈게.
맹자는 인간은 누구나 어려운 고난을 극복하고 시련을 통해 높은 도덕적 품성을 지니게 되면 요순 임금과 같은 성인에 이를 수 있지만
그러기 위해서는 교육이 절대적으로 필요하다고 했어.
사람들과 교제와 예의, 교육자의 품위와 피교육자의 자세, 끊임없는 자질 향상과 교육적 환경의 중요성에 대하여 《맹자》에 기록해 놓았어.
또 세상을 살아가는 처세 철학에 대해서도 언급했는데

나아가고 물러남에 있어서 흔들리지 않은 신념, 예의에 맞는 행동으로 절도 있게 처신하여 비굴함을 물리치는 것, 재주를 과신한 경거망동 등등
감투
함정
자신의 몸을 망친다고 경고하는 내용을 담고 있어.
으악~
바보….
도와 예에 어긋난 일이라면 욕심을 버리고 사양하고 물러나는 것이 결국 자신을 살리는 길이라는 가르침이야.
호연지기라든가 인자무적, 오십보백보 등 귀에 익은 성어들도 《맹자》에서 나온 말이지.
孟子
《맹자》는 《논어》, 《중용》, 《대학》과 함께 사서의 중요한 고전 중 하나로
중용
논어
2,300년이나 지난 지금까지도 많은 사람들에게 널리 읽히고 있는 이유는
과거와 현재를 초월하여 우리 인간들의 삶에 좋은 가르침을 주기 때문이야.
듣고 보니 《맹자》는 참 대단한 책인 것 같아.
자, 그럼 그 대단한 가르침 속으로 들어가 볼까?

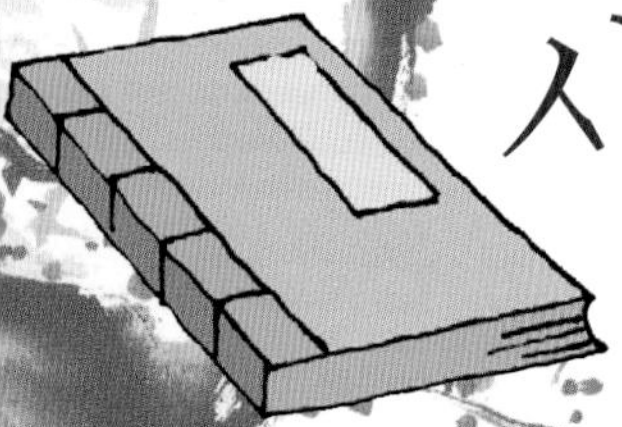

사서와 오경은 어떤 책일까?

유가의 네 가지 경전을 사서라고 하는데, 《논어(論語)》, 《맹자(孟子)》, 《중용(中庸)》, 《대학(大學)》을 말합니다. 사서는 송나라 때 주자(朱子), 즉 본명 주희(朱熹)가 유가의 학문적 체계 하에서 정한 것으로 유생들에게는 필독서였어요.

주자는 당시 유가의 학문을 배우려는 사람들에게 《대학》, 《논어》, 《맹자》, 《중용》의 순으로 공부하기를 권했으며, 사서가 모두 끝난 뒤에는 오경(五經)을 배우도록 권유했습니다. 이같이 사서는 학문을 하는 사람이면 누구나 습득해야 할 유가의 경전이었요.

《논어》, 《맹자》, 《중용》, 《대학》의 어려운 구문들을 송나라 주자가 풀어서 해석하여 《논어집주》, 《맹자집주》, 《중용장구》, 《대학장구》를 만들었어요. 이후 주자의 책들은 사서의 정통한 해석으로 여겨졌어요. 원(元)나라 중기 때 과거시험에도 사서와 오경 중에서 주자학적 해석을 위주로 문제가 출제되었으며, 명나라 때에는 《사서대전(四書大全)》이 편찬되고 반포되어 오늘날 국정 교과서 같은 권위를 가지게 되었어요.

명나라 중기 이후에는 *양명학이나 불교 사상이 들어와 사서의 새로운 해석이 나타나, 이전에 주자가 해석한 책의 권위가 떨어지기도 했습니다. 그러나 그것은 오래가지 못했으며, 여전히 주자학적 해석이 주를 이루었어요. 청나라 때에는 사서보다 오경을 중요시하는 학풍이 나타났습니다. 사서의 지위는 조금 떨어졌지만, 과거 시험에는 여전히 사서의 장구(章句)와 집주(集註) 들을 중요하게 여겼어요.

오경은 한(漢)나라 때에 중요하게 여기던 경전이었는데, 《시(詩)》, 《서(書)》, 《역(易)》, 《예(禮)》, 《춘추(春秋)》 등 다섯 가지 책을 가르킵니다.

그후 오경은 《모시(毛詩)》, 《고문상서(古文尙書)》, 《역경(易經)》, 《예기(禮記)》, 《춘추좌씨전(春秋左氏傳)》 등 다섯 가지로 바뀌었던 경우도 있었으나, 당(唐)나라 때 공영달(孔穎達)이라는 사람이 《오경정의(五經正義)》를 정립함으로써, 오경은 다시 《시경》, 《서경》, 《역경》, 《예기》, 《춘추》로 정해져 오늘날에 이르고 있습니다.

때때로 '사서삼경' 이란 말을 사용하는 경우도 있는데, 삼경이라 하면 《시경》, 《서경》, 《역경》, 《춘추》, 《예기》 중에서 《춘추》, 《예기》를 제외한 《시경》, 《서경》, 《역경》의 세 가지 경전을 가리킵니다.

*양명학(陽明學) – 중국 명나라 중기에 태어난 양명(陽明) 왕수인(王守仁)이 이룩한 신유학으로, 주자가 주장한 성리학의 사상을 반대하고, 심즉리(心卽理), 지행합일설(知行合一說)을 주장한 학문이에요.

순자의 성악설

'사람의 성품은 태어날 때부터 악하다.' 고 본 사람은 순자였어요. 순자(荀子, 기원전 약 298~ 기원전 238)는 전국시대 말의 조(趙)나라 사람인데, 이름은 황(況)이며, 자(字)는 경(卿)입니다. 일명 순경(荀卿) 또는 손경(孫卿)이라고도 불러요. 그의 사상은 공자와 자궁(子弓)을 스승으로 하고, 유가의 철학을 바탕으로 하고 있습니다.

순자의 기본 학설은 성악설입니다. 맹자가 성선설을 주장했지만, 순자는 성악설을 주장했지요. 성악설은 앞서 설명한 대로 '사람의 성품은 태어날 때부터 악하다.' 고 보는 견해랍니다. 다시 말해, 사람의 성품은 태어날 때부터 악하기 때문에 그 악한 성품을 없애기 위해서는 성인의 행동을 배워서 올바른 곳으로 나아가야 한다는 거예요. 순자는 "사람의 성품은 악한데, 어떤 사람에게 착함이 있는 이유는 그 사람이 배워서 그렇게 되었기 때문이다."고 했어요. 다시 말하면 사람의 성품에는 이기적인 욕망이 가득하기 때문에 이러한 이기적 욕망을 후천적 가르침을 받아서 없애야 비로소 착하게 된다는 뜻입니다.

순자는 "사람의 성품은 태어날 때부터 이기적이므로, 천성에만 맡겨 두면 예의렴치(禮義廉恥)를 돌아보지 않는다."고 했어요.

예를 들면, 어떤 사람이든 배가 고프면 부모 형제를 제쳐 놓고 자신이 먼저 먹으려고 하는 행동을 합니다. 그러나 이런 무례한 행동은 올바른 가르침을 받고 익히면 점차 고쳐져서, 자신보다 부모 형제를 위하게 된다는 것이에요. 이러한 행위가 선(善)이며, 사람이 선을 실천하기 위해서는 반드시 교육이나 수양을 통해 인위적으로 교정함으로써 가능하다는 것입니다.

사람이 태어날 때 부여 받은 본성보다도 후천적으로 스승에게 가르침을 받아서 더욱 올바른 사람이 될 수 있다는 것이 순자의 주장입니다.

제3장 오직 인의뿐입니다

仁
義

1) 오직
인의(仁義)
뿐입니다.

맹자가 활동하던 때의 중국은 '전국시대'라고 하여, 크고 작은 나라들이 서로 싸우고 있었는데
퍽!
쾅쾅!
우당탕
우지끈!

그중 하나인 양나라에서 맹자를 초청했어.
양나라

양나라의 혜왕은 맹자를 반갑게 맞이하며 자신의 나라를 이롭게 할 방법을 물었지.
利

그러자 맹자는 어째서 이로움만을 바라냐며
다만 인의(仁義)가 있을 뿐이라고 말했어.
仁 義
인의?
좀 어렵지? 쉽게 설명해 줄게.
인(仁)이란 공자가 주장하던 으뜸 사상으로써, 사람을 사랑하는 어진 마음씨라고 할 수 있어.
仁
즉 행동을 부드럽게 하여 모든 일을 신중하고 너그럽게 하며
남에게 믿음을 주고 예의 바르게 행동하는 성품을 말하는 거야.
그리고 의(義)란 옳고 그름을 분별해 그 옳음을 택하는 것이라 할 수 있지.
義
나라를 배신하지 않고 당당히 잡혀가네
진짜 의로운 사람이야!
혜왕은 어떻게 하면
자신의 나라를 부유하고 강성하게 만들 수 있을까 생각했지만

백성의 고혈을 쥐어짜서 나라를 부유하게 하고
콱
콱
세금
강성한 군대가 있으면 무엇하겠니? 백성들이 모두 힘들어 하는데 말이야.
바로 인의(仁義)가 아니면 천하를 다스릴 수 없습니다!
仁義
즉, 백성들을 힘들게 하는 부국강병보다
백성들을 사랑하는 마음으로 나라를 다스려야 하는 게 중요한 거야.
만약 왕이란 사람이 매일 이로움만 생각한다면
쩝쩝..
왕 밑에 있는 대부(大夫 : 벼슬의 품계)들도 그러할 것이고
뿌듯
대부 밑에 있는 선비들도 이로움만 취하려 하겠지.
탁탁탁

공자께서 말씀하시길, 군자란 의(義)에 밝고, 소인은 이(利)에 밝다고 했어.
義
利
이(利)란 사사로운 마음으로 이로움을 취하는 것을 말하는 것으로, 의(義)와는 반대되는 말이야.
의
이
맹자가 말하길, 만승의 나라에 군주를 시해하는 자는 반드시 그의 밑에 있는 천승을 가진 공경(公卿)의 집안이고,
천승의 나라에 군주를 시해하는 자는 반드시 그의 밑에 있는 백승을 가진 대부(大夫)의 집안이니
만일 의로움(義)을 뒤로하고 이로움(利)만을 생각한다면 서로 뺏으려다 모두 자멸한다고 했어.
즉, 이로움만을 추구하는 군주들의 어리석음을 일깨워 주려던 말이었던 거야.
만승?
천승?
백승?
만승이란 '만 대의 수레'란 뜻으로, 천자의 나라를 가리키는 말이야. 당시엔 수레의 숫자로 군사력을 가늠했거든.
천자란 '하늘의 아들'이란 뜻으로 최고의 통치자를 가리켜.
그럼 천자 아래의 공경은 천 대의 수레, 그 밑의 대부는 백 대의 수레를 가졌다는 뜻이겠네?
공경(公卿)
대부(大夫)
맞았어. 제법인걸.
헤헷, 이 정도 쯤이야.

2) 어진 사람이
되고 난 뒤에
즐거워함을
알 수 있습니다.
맹자는 혜왕에게 자신의 주장을 펼치기 위해
양나라에 머물러 있었어.
양
어느 날 맹자가 혜왕을 만나러 갔는데
왕이 연못가에서 서서 기러기와 사슴을 보고 있다가 맹자한테
물었어.
어진 자도 기러기와
사슴들이 노는 것을 보고
즐거워합니까?
어진 자란 행동이 부드러워 모든 일을
신중하고 너그럽게 하며
괜찮아~♡
죄송...
남에게 믿음을 주고 예의
바르게 행동하는 사람을 말해.
맹자가 이렇게 말했어.
어진 자가 된 뒤에 능히
이것을 즐길 수 있지만, 어질지
못한 사람은 이것을 가지고
있어도 즐거워하지
못합니다.
혜왕이 고개를 갸우뚱하자,
맹자는 《시경(詩經)》에 있는
내용을 들려주었어.
詩經
옛날 주나라의 무왕이 누각을
지으려고 했대.
그러자 백성들이 모두 달려와 하루도
안 되어 누각을 다 지어 버렸어.

그리고 '신령스런 누각' 이란 뜻으로 '영대(靈臺)' 라고 이름지어 무왕에게 바쳤대.
무왕이 동산에 올라가니 사슴들과 백조들이 다가와 가만히 엎드리고
무왕이 연못가에 서니 물고기들이 마구 뛰어올랐어.
무왕이 백성의 힘을 빌려서 누각을 만들고 연못을 만들었지만, 백성들은 힘들어 하지 않았지.
백성들 모두 무왕을 위하는 일이라면 즐거워하며 했던 거야.
이 모습을 가리켜 맹자는 "무왕이 백성들과 함께 즐길 줄 안다."고 했어.
음!
왕이 백성을 위한 정치를 펴면 백성도 왕에게 봉사하는 게 힘들지 않다는 얘기야.
쓱 쓱 쓱
그런데 맹자가 예를 든 《시경(詩經)》은 어떤 책이야?
중국에서 가장 오래된 시집인데
기원전 11세기부터 기원전 6세기 사이, 약 500년 동안 쓰여진 작품들이 실려 있으며
《서경(書經)》, 《역경(易經)》, 《춘추(春秋)》, 《예기(禮記)》와 함께 유교 경전 오경(五經) 중 하나야.
詩經

그와는 반대로 하나라 마지막 임금인 걸(桀)왕은 폭악스런 정치를 폈는데
뭘 봐?
평소 천하가 마치 제 것인양 외쳐 댔어.
내가 천하를 소유하는 것은 하늘에 태양이 있는 것과 같은 이치다. 하늘에 해가 없어지면 그제야 내가 망한 것이야!
무서워..
결국에는 백성들 사이에서 그의 포악한 정치를 원망하는 소리가 터져 나왔지.
그리고 백성들 사이에서 원망의 노랫소리가 울려 퍼졌어.
"이 해는 언제나 없어지려는가. 만일 없어진다면 내 차라리 그와 함께 없어지리라!"
얼쑤
백성을 돌보지 않은 군주의 끝이 좋을 리가 없었지.
여기 좀 봐 줘요~!
결국 은나라 탕왕에게 나라를 송두리째 내주고 말았어.
뚝
이를 두고 맹자는
군주가 홀로 즐기면서 백성을 돌보지 않으면
백성들이 그를 원망해 즐거움을 보전할 수 없다고 했어.
찔끔
민심은 천심이란 말은 백성의 마음이 하늘의 마음과 같다는 뜻이지?
맞아. 그러니까 왕은 백성들의 마음을 저버려선 안 된다는 말이야.

3) 어진 사람에게는
대적할 사람이
없습니다.
인자무적(仁者無敵)이란 말은 어떻게 생겨났을까?
하루는 혜왕이 맹자에게 고민을 털어놓았어.
아까워…
齊
300
500
600
700
내 나라가 천하에 막강한 줄 알았는데 서쪽 땅
칠백 리를 제나라에게 잃었고 남쪽으로는
초나라에게 패전해 일곱 개 성읍을 잃었습니다.
어찌하면 이 부끄러움을
씻을 수 있겠습니까?
땅이 작아도 왕 노릇을
할 수 있습니다!
맹자의 대답에
혜왕은 눈이
휘둥그레지며
궁금해했어.
맹자는 혜왕이
형벌을 줄이고
세금을 적게 거두고 때에 맞춰 농사짓게
해 준다면 그것으로 충분하다고
말했어.
올해는 흉년이니
절반만 내래.
감사합니다요
당시 백성들은 강제로 시행하는 부역
때문에 궁핍한 생활을 했거든.
애고~ 매일매일
부역이네~
한창 바쁜 농사철에 밭갈이와 김매기를 못 하면 가을에 추수하지 못해
먹고살기가 힘들어지며
내 논…

부모를 봉양할 수 없게 된다면 어떤 백성들이 군주를 위해 목숨을 바치겠니?
죄송해요...
하지만 맹자의 말처럼 형벌과 세금을 줄이고
싹
세금
뚝
때에 맞춰 농사짓게 한다면 먹고사는 것이 넉넉해져서 부모님에게 효도하고 윗사람을 공경하게 되며 나라에 충성하게 될 거야.
꾸벅
예나 지금이나 백성들의 희망사항은 전쟁 없이 평화로이 먹고사는 세상이야.
평화
맹자가 말했어.
왕께서 백성을 사랑하고 올바른 마음으로 정치를 한다면 분명히 과거의 부끄러움을 씻을 수 있습니다!
그리고 “인자한 사람은 그 부모님을 버리지 않으며, 의로운 사람은 그 군주를 멀리하지 않는다.”고 했어.
이것이 인자무적(仁者無敵), 즉 어진 사람에게는 대적할 사람이 없다는 뜻이야.
잠깐! 이상한데?
우리가 사는 21세기에는 먹고사는 것이 풍족한데 왜 부모님에게 효도하는 사람은 찾아보기가 힘든 걸까?

그건 우리가 생각하는 만큼 이 세상 사람들이 잘 먹고 잘 살지 못하고 있다는 뜻일 거야.
죽느냐 사느냐
그것이 문제로다!
배불리 먹는 사람도 있지만
다이어트 해야 되는데..
기아에 허덕이는 사람들은 더 많잖니.
우리 시대가 과학이 발달해 물질 문명의 수준은 높아졌으나
자원은 제한되어 있는데다 수요는 많고 공급이 적어서, 많은 사람들이 서로 원하는 것을 구하려고 다투다 보니
똑똑
생존경쟁은 오히려 더 치열해진 세상이 되어 버렸어.
이기지 못하면 끝장이다!
살아가는 게 전쟁터처럼 되어 인심이 각박해지고 부모와 자식 간의 정은 더욱 멀어졌어.
이러다 보니 부모님도, 나라도 생각지 않고 자신만의 이로움을 생각하는 개인주의가 커질 수밖에!
흥!
국가
가족
어떻게 하면 살기 좋은 세상으로 만들 수 있을까?
맹자님의 말 속에 해답이 있을 거 같아.
정치하는 사람들은 백성들을 순수한 마음으로 사랑하는 인의 정치를 펼치고
우리는 '모든 행동의 근본이 부모님께 효도하는 것부터 시작된다.' 고 한 공자님의 가르침을 따르면 돼.
꾸벅

4) 오십 걸음
도망친 자는
백 걸음 도망친
자를 비웃지
못합니다.
하루는 혜왕이 맹자에게 이렇게 말했어.
나는 내 나라를 다스리는 데 온갖 정성을 다했소.
내가 다스리는 하내(河內)의 땅에 흉년이 들면
왔다 갔다 이게 무슨 고생이야…
그곳에 사는 백성들을 하동(河東) 땅으로 데려다 줌으로써 백성들이 굶는 일이 없도록 했소.
정말?
하동 땅에 흉년이 들어도 똑같이 배려했나 봐!
내가 이렇게까지 하는데도 왜 이웃 나라 백성들은 점점 많아지고
와글
와글
저긴 미어터지네…
내 나라의 백성들 수는 점점 줄어드는 것입니까?
양나라 인구 통계
맹자가 웃으며
왕께서 전쟁을 좋아하시니, 전쟁에 비유하겠습니다.
전쟁에서 북소리가 사방으로 울려 퍼지고, 병사들의 병기와 칼날들이 서로 맞붙어 전쟁이 시작되려는 순간
둥
둥
둥

겁에 질린 몇몇 병사들이 갑옷을 벗어던지고 도망하기 시작했습니다.
걸음아~ 나 살려라~
어떤 사람은 백 걸음 도망친 뒤 몸을 숨기고, 어떤 사람은 오십 걸음 도망친 뒤 몸을 숨겼다면
샥
샤샤
오십 걸음 도망친 사람이 백 걸음 도망친 사람을 보고, 비웃을 수 있습니까?
겁쟁이!
너는?!
그것은 불가하오! 백 보든 오십 보든 도망친 것은 둘 다 마찬가지가 아니오?
조그마한 잘못도 잘못, 큰 잘못과 작은 잘못을 구별할 필요가 없다는 대답이었지.
혜왕의 말을 기다렸다는 듯 맹자는
혜왕이 만일 그와 같은 사실을 안다면 백성들이 이웃 나라보다 많아지기를 바라지 말라고 했어.
뜨끔!
이 말은 곧 전쟁을 좋아하는 혜왕 자신에게 문제가 있다는 뜻이야.
농사는 언제 해요?
전쟁놀이 하자~
흉년에 잠시 곡식을 풀어 백성의 굶주림을 해결해 주기보다 근본적으로 백성들을 편안하게 하기 위한 왕도 정치를 해야 한다는 거지.

백성을 자꾸 전쟁터에 몰아넣는다면 백성은 농사철을 놓치게 되고 곡식이 없어 곤란한 지경에 빠지겠지.
백성은 가난에 허덕여 부모를 모시기도 힘들게 될걸?
얘야~ 밥 좀 다오…
크흑
그리고 죽은 사람을 장사조차 지낼 수 없게 되지 않겠니.
이렇듯 인의(仁義)로 정치를 하지 않았기에 백성이 나라를 떠날 수밖에 없다는 거야.
맹자는 백성을 전쟁에 몰아넣지 말고
가혹한 부역이나 세금으로 백성을 힘들게 하지 말라고 한 거야.
반만 줘!
그렇게 한다면 백성들은 자기가 살던 곳을 버리고 다른 곳으로 떠나지 않을 것이며, 자연히 인구도 줄지 않겠지.
맹자의 말에 혜왕은 부끄러워하며 어찌할 줄 몰라 했어.
부끄럽도다.
결국 군주들이 정치를 잘못해서 백성들을 도탄에 빠뜨린다면,
배고파~
밥줘~
백성들은 먹고살기가 힘들어져 자기들이 살고 있는 땅을 버리고 언제든지 다른 나라로 옮겨 가 버린다는 뜻이야!

5) 왕께서는
홀로 음악을
즐기십니까?
하루는 제나라 신하 장포가 맹자를 만나 물었어.
저희 왕께서
음악을 좋아한다고
저에게
말씀하셨습니다.
저는 그 말씀에 감히 대답하지 못했는데
왕께서 음악을 좋아하는 것에
대해 어떻게 생각하십니까?
며칠 뒤 맹자가 왕을 뵙고 물었지.
왕께서 일찍이
장포에게 음악을
좋아한다고
말씀하셨는
지요?
이에 제나라 선왕이 얼굴빛이 변하여
말하길
아, 사실은 과인이
선친들이 좋아했던
그런 음악을
좋아하는 게
아니라….
다만
세속의
음악을
좋아할
뿐이오.
맹자는 지금의 음악과 옛날의
음악은 별 차이가 없다고 했어.
왕이 음악을 좋아한다면 제나라
는 잘 다스려질 것이라고
말했지.
왕이 궁금해하면서 그 이유를 묻자,
맹자는
왕께서는 홀로
음악을 즐기십니까?
다른 사람과 같이
즐기십니까?

맹자가 되묻자 왕은 선뜻
대답하지 못했어.
이에 맹자가 말했어.
음악이란 남과
함께하는 것만
못합니다.
적은 사람과 음악을 즐기는 것과
많은 사람과 음악을 즐기는 것 중
어느 것이 더 즐겁습니까?
그것은 많은 사람과 함께
하는 것만 못합니다.
둥둥
땅따당~
즉 왕이 백성과 더불어 음악을 즐길 수
있다면 왕도 정치를 펼 수 있다는 거지.
백성들은 먹고살기 힘든데, 군주는
음악을 즐기고 있다면
띵!
밥 줘~!
백성들이 이마를 찌푸리며 원망의 소리를 터뜨릴 거야.
해도해도
너무한다!
땅
바로 군주가 백성들과 함께 즐기지 않았기 때문이지.
시끄러워
죽겠네!
하지만 왕이 음악을 연주하는데, 백성들이
모두 기뻐하며 같이 즐거워한다는 것은
얼쑤~!
왕이 어진 정치를 펼쳐서
백성들의 살림이 넉넉하고
풍족하다는 뜻이지.
그렇기에 백성들이 왕과 더불어
음악을 즐길 수 있게 된다는
말이야.

6) 어진 군주는 봄에 나가서 백성들의 경작을 돌봅니다.
제나라 선왕이 맹자를 별당 설궁에서 만나 물었어.
어진 사람에게도 이런 즐거움이 있습니까?
설궁(雪宮)?
설궁이란 당시 제나라 왕이 잠시 머물던 곳으로, 왕궁에서 떨어진 별궁이야.
맹자가 대답하길
있습니다.
사람들은 즐거움을 얻지 못하면 대개 그 윗사람을 비난합니다.
쑥덕쑥덕
즐거움을 얻지 못해 그 윗사람을 비방하는 사람은 옳지 못하며
퍽
한 나라의 군주가 되어 백성과 함께 즐기지 못한 것도 잘못입니다.
하하하하
같이… 놀~자
군주가 백성이 즐겁기를 바라면, 백성 또한 그 군주의 즐거움을 바라며
득남을 축하하네.
군주가 백성의 근심을 걱정하면, 백성 또한 그 군주의 근심을 함께 걱정합니다.

즐거워하기를 온 천하가 같이 하고, 근심하기를 온 천하가 같이 한다면
왕 노릇을 못할 사람은 아무도 없을 것입니다.
왕 노릇이 제일 쉬웠어요.
옛날에 제나라 경공이 신하 안자에게 정사에 관해 물었어.
전부산과 조무산을 구경하고
바닷가를 따라 남쪽 낭야까지 유람하려고 하는데
어떻게 하면 선왕의 유람에 견줄 수 있겠는가?
여기에서 유람이란 왕이 각 고을을 두루 살펴본다는 의미야.
전부산은 뭐고 조무산은 또 뭐람?
그야 산 이름이지.
낭야는 당시 제나라 동남쪽 국경가에 있던 고을 이름이고
낭야
안자라는 사람은 제나라의 신하이며, 이름은 '영'이야.

안자가 대답했어.
천자가 여러 제후국을 순시하는 것을 순수(巡狩)라 합니다.
그리고 제후가 천자의 나라에 조회하러 가는 것을 술직(述職)이라 하지요.
조회란 제후들이 천자에게 문안드리고 정사를 아뢰던 일을 말해.
순수는 경내(境內)를 돌아본다는 뜻이고, 술직은 자기가 맡은 바를 편다는 뜻이니, 두 가지 모두 군주가 돌봐야 할 정사(政事)입니다.
그러므로 어진 군주는 봄에 백성이 경작할 때 부족한 것을 채워 주고,
뭐 필요한 거 없어?
가을에는 수확하는 상태를 보아 부족한 것을 도와줍니다.
반대로 전쟁에 내몰아 굶주리고 쉬지 못하게 한다면 서로가 비방하는 데에 앞다툴 것입니다.
안자의 말에 경공이 기뻐하며 곧바로 교외로 나가 창고의 문을 열어 양식이 부족한 백성을 도와주고
태사를 불러 군주와 신하들이 좋아하는 음악을 만들도록 했다고 해.
음악도 만들고
음식도 만들고

제4장
천하의 사람들은 어진 군주에게 돌아갑니다
1) 몽둥이와 칼날은 차이가 없습니다.
부끄러워 어쩔 줄 몰라 하는 혜왕에게 맹자가 계속 말했어.
사람을 죽일 때 몽둥이와 칼날을 사용하는 것이 어떤 차이가 있습니까?
혜왕이 차이가 없다고 대답하자, 맹자가 다시 물었어.
그럼 칼날과 정치를 가지고 사람을 죽이는 것에는 차이가 있습니까?
왕은 말을 더듬거리며 차이가 없다고 대답할 수밖에 없었지.

말을 더듬거리는 혜왕에게
맹자가 꾸짖듯이 말했어.
푸줏간에 살찐 고기가 있고
마구간에는 살찐 말이 있으면서
백성을 굶주리게 하고 죽게 만든다면
이것은 짐승들로 하여금 사람을 잡아먹게 하는
것이 아니겠습니까?
고기와 가축들이 넉넉한데도 굶어 죽는 사람들이 있다는 것은
곧 왕이 정치를 잘못하고 있다는 뜻입니다.
철퍼
덕!
우적
짐승들끼리 서로를 잡아먹는 것도 끔찍한데
크아앙
콱!
군주가 되어 짐승으로 하여금 사람을
잡아먹게 만든다면 이는
어떠하겠습니까?
혜왕은 한마디 대꾸도
못 하고 진땀만 흘렸어.
요즈음도 마찬가지야.
말 한마디로 상대방을
해치잖아.
맞아
맞아.
심지어 네티즌들의 악플 때문에
누군가가 죽을 수도
있어.
크흐흐흐...
타닥타닥
탁
그러니 서로를 존중하는 마음을 가지고
매사에 겸손해야 할 것 같아.

2) 천하의 사람들은 어진 군주에게 돌아갑니다.
맹자는 전국시대의 천하를 무력으로는 통일할 수 없으며, 천하의 백성들은 어진 군주가 있는 곳으로 자연히 모이게 된다고 했어.
혜왕의 아들 양왕 때 일이야.
양왕은 임금 같지도 않으며 위엄을 전혀 느낄 수 없는 용모를 지니고 있었어.
어느 날 양왕이 맹자에게 천하가 어떻게 전개될 것 같냐고 묻자,
맹자는 한곳으로 합쳐질 것이라고 예측했어.
전국시대 때는 천하가 모두 분열되어 서로 싸우는 시대였거든.
와아아
퍽
박
와
퍽
와아..
자고 나면 지도가 바뀌네.
그 싸움 끝에 결국 통일을 이룰 거라는 뜻이었지.
통일
콱

양왕은 누가 다시 통일을 이룰 것 같냐고 묻자
맹자는 "사람 죽이기를 좋아하지 않는 자가 능히 통일할 수 있습니다!"라고 했어.
그럼 어떤 사람들이 그 사람 주위로 모이겠습니까?
천하의 사람들 모두 그 사람 주위에 모여들 것입니다.
양왕은 맹자의 말을 잘 이해하지 못했어.
그래서 맹자가 비유하여 쉽게 말했지.
왕께서는 벼 이삭을 알고 계시는지요?
잘 알고 있습니다!
날씨가 가물면 벼가 바싹 마르다가
비를 맞으면 벼싹이 우쭉우쭉 일어나니
후두둑
쌩
쌩
그것을 누가 감히 막을 수가 있겠습니까?
야호!
대부분의 군주들이 사람 죽이기를 좋아하는데
만일 사람을 귀중히 여기는 군주가 있다면
!

백성들 모두 누구에게 가겠습니까?
그야 당연히….
백성을 귀중하게 여기는 군주에게 가겠지요!
당신들도 소문 듣고 왔구려?
저 성의 군주가 어진 분이라고 해서…
이제 아시겠습니까. 군주가 천하를 얻으려면 백성을 인의로 다스려야 합니다!
양왕은 고개를 끄덕이며 맹자에게 인사하고 돌아갔어.
진나라가 법가사상을 기반으로 최초로 전국을 통일한 후, 얼마 뒤 맹자가 말한 대로 한나라 고조가 천하를 통일했는데
중국의 경극 〈패왕별희〉 알지?
응, 천하장사 항우와 우미인의 사랑 이야기 잖아?
그 항우를 이긴 사람이 바로 한나라 고조야.
그는 사람 죽이기를 좋아하지 않았기 때문에 천하를 얻을 수 있었다고 해.

3) 못하는 것이 아니라 하지 않는 것입니다.
맹자가 혜왕을 만나 자신의 도를 설명했으나 뜻을 이루지 못했어.
그래서 양나라를 떠나 제나라로 옮겨갔지.
제
제나라 선왕은 맹자에게
과거 제나라 환공과 진나라 문공에 대해 들려주길 청했어.
제 환공과 진 문공은 모두 춘추시대 때 국력을 튼튼히 해 나라를 크게 키운 왕들이야.
관중과 포숙이 나를 많이 도왔지.
19년 동안 유랑하느라 62세 때에야 왕위에 올랐지 뭐야.
환공
문공
하지만 맹자는 선왕에게 공자의 문도들이 환공과 문공에 대해 말하는 자가 없다고 했어.
환공과 문공은 무력으로 천하를 얻으려고 하는 사람들이기에
문도들은 왕자(王者)라 칭하지 않고 패자(霸者)라고 칭했어.
覇者
췟!

그래도 기어이 말하라고 하신다면 왕의 도리를 말하겠습니다!
그러자 선왕은 덕이 어떠해야 왕 노릇을 할 수 있는지 물었어.
맹자는 "백성을 보호하고 제대로 된 왕 노릇을 하면 이를 막을 자가 없다."라고 대답했지.
이에 선왕이 자기도 백성을 보호할 수 있을지 묻자
맹자는 가능한 일이라 했어.
선왕은 자신이 어떠한 이유로 백성을 보호할 수 있다고 보는지 궁금해했지.
맹자는 어떤 신하가 알려 준 이야기를 꺼내며 되물었어.
왕께서 대청 마루에 앉아 계시는데 소를 끌고 지나가는 자가 있었나요?
선왕은 소를 몰고 가는 자가 있기에 어디로 가는지 물었더니
소를 잡아서 피를 구하여 신종을 만드는 데 쓰려고 합니다.
'신종'이란 가축을 잡아 신성한 피를 종에 바름으로써 액운을 물리치고 종소리도 잘 나게 하는 의식을 말해.
선왕은 끌려가며 벌벌 떠는 소를 보니 차마 볼 수 없어서
소를 놓아 주고 양(羊)으로 대신하라.
깡총 깡총
네~

맹자는 바로 그러한 마음이 있기에 족히 왕 노릇을 할 수 있다고 했어.
왕이 소를 죽이지 못하게 한 것은
울먹~ 울먹…
측은지심 때문이라는 얘기야.
惻隱之心
'측은지심' 이란 불쌍하게 여기는 착한 마음으로, 모든 사람에게 있어.
선왕이 이것을 키워 간다면 반드시 어진 왕의 노릇을 할 수 있을 거라고 맹자가 말했어.
배고파
선왕은 기뻐하며 물었어.
그럼 다른 사람의 마음을 제가 헤아린다는 말인데
저는 어진 행동을 하고도 아직 제 마음을 알지 못합니다.
내가 왜 저 소를 구해 주었지?
맹자가 이렇게 말했어.
왕에게 어떤 사람이 아뢰기를 쌀 두 가마니를 거뜬히 들 수 있는 장수가
번쩍
깃털 하나 들 수 없다고 한다면 왕께선 믿으시겠습니까?
너무 무거워….
선왕은 믿을 수 없다고 했지.
말도 안 돼

그렇습니다. 그 장수는 힘을 쓰지 않았기 때문이지요.
귀찮아.
털썩
마찬가지로 왕께서 백성들을 보호하지 못한다는 것은
은혜를 쓰지 않았기 때문입니다.
흥!
왕께서는 왕 노릇을 못 하는 것이 아니라 안 하는 것입니다.
안 하는 것과 못 하는 것이 어떻게 다릅니까?
태산을 옆에 끼고 북해를 뛰어넘는 것을 불가능하다고 한다면
이건 말도 안 돼. 꿈이 분명해.
풀쩍
태산은 중국 산둥성에 있는 해발 1,532미터의 산으로, 아주 높은 산을 뜻하기도 해.
윗사람을 위하여 나뭇가지를 꺾지 못하는 것은 불가능한 일이 아니고 다만 안 하는 것일 뿐입니다!
높아서 못 꺾겠어요.
차라리 내가 하마.
맹자는 군주가 백성에게 말로써 하는 정치가 아니라 행동으로 하는 정치를 강조한 거야.
음...

4) 나무에서
물고기를
구하는 것과
같습니다.
군주들은 종종
불가능한 일을
하려고 해!
백성의 뜻을 저버리고
무력으로 다른 나라를
침범해 땅을 넓히는
일이지. 이는 반드시
재앙이 뒤따른다고
했어.
왕이 물고기를 먹고 싶다고 해서
나무에 올라 물고기를 낚는 격이야.
어느 날 맹자가 제 선왕을 찾아가
말하길,
왕께서 크게 품고
있는 뜻을 제가
들을 수 있는지요?
선왕이 웃을 뿐 말을 하지 않았지만, 맹자는
훤히 꿰뚫어 보고 있었지.
맛있는 음식과 좋은
옷입니까?
아니면 아름다운 음악과 총애하는
충신들로부터 충성심을 더
얻는 것입니까?
그러자 왕이 손을 저으며 대답을
회피했어.
그래서 맹자는 선왕에게 정곡을
찌르는 말을 했지.

토지를 넓혀 진(秦)나라와
조(趙)나라에게 조공을 받으며
제
사방의 오랑캐를 어루만지고자
하시는 것이지요?
까불지 마!
예...
맹자의 말에 선왕은 놀라 눈이
휘둥그레졌지.
뜨끔!
당시 대륙 서쪽에 위치한 진나라와
조나라는 국력이 가장 강한 나라였어.
진
조
왕께서 만약 이와 같은 소원을 원하신다면
이는 연목구어(緣木求魚)라 할 수 있습니다.
물고기!
물고기!
'연목구어' 란 나무에
올라가 물고기를 찾는
것과 같다는 말이야.
짝
제 뜻이 그렇게
심한 것입니까?
예! 그보다 더 심한 것이
있습니다.
비록 지금은 나무에서 물고기를
얻지 못하더라도 훗날의 재앙은
없지만
물고기 없~다!
만약 왕께서 소원한 대로
뜻을 이루게 된다면
그때는 왕께서 온 마음과 힘을 다해서
정치를 하더라도 훗날 반드시 재앙이
따를 것입니다!
재앙

맹자는 선왕이 무력으로 나라를 넓히려는 욕심에 제동을 건 거야.
선왕의 얼굴은 붉어지며 일그러졌어.
마음속에 감추어 둔 속내를 들켰기 때문이었지.
풀이 꺾인 선왕에게 맹자의 말은 이어졌어.
왕께서 훌륭한 정치를 펴고 사랑을 베풀어 정사를 돌보면
천하의 선비들은 모두 왕에게 달려올 것입니다.
선왕이야말로 군자야.
때맞춰 백성들에게 밭을 경작하게 하고 장사꾼들에게 세금을 줄여 준다면
천하의 백성들이 모두 왕에게 달려올 것입니다.
오! 과연 선생께선 훌륭하십니다!
선왕은 물러나며 맹자가 정말 대단한 사람임을 새삼 느꼈어.
하지만 창피를 만회해 보고 싶은 마음도 있었지.
맹자께 뭔가 자랑할 만한 게 없을까?

5) 칠십 리가 사십 리보다 좁습니다.
다음 날 선왕이 전날의 잘못을 만회해 보려고 맹자를 찾아왔어.
주나라 문왕께서 짐승을 기르고 무예를 익히는 동산이 사방 칠십 리라고 들었는데 사실입니까?
옛날 중국의 군주들은 사냥을 하면서 무예를 익히는 동산을 가지고 있었어.
선왕의 물음에 맹자는 그렇다고 답했어.
하지만 과인의 동산은
넓이가 사방 사십 리밖에 되지 않습니다.
선왕은 자랑스럽게 자신의 동산이 작다고 말했어.
그러나 백성들은 제 동산이 오히려 크다고 말합니다. 왜 그렇습니까?
글쎄요! 문왕의 백성들이 문왕의 동산을 왜 작다고 여겼을까요?

신이 처음 국경에 이르렀을 때 길 가는 사람에게 제나라에서 크게 금지하는 것이 뭐냐고 물으니
왕의 동산이 사방 사십 리인데 그 안의 사슴을 죽이면
사람을 죽인 죄로 다스리니 조심하시오.
그게 정말인가요?
그… 그렇습니다.
하지만 문왕의 동산은 칠십 리나 되지만 백성들과 같이 그곳을 사용하니
왕의 동산 개방
와!
백성들은 동산이 좁다고 느끼는 것이며
신난다!
시끌벅적
선왕의 동산은 사십 리밖에 안 되지만 백성들과 함께 사용하지 않으니
금지! 들어가면 죽어!
백성들이 넓다고 여길 수밖에 없습니다.
칫! 넓어!
선왕의 얼굴이 붉어지며 부끄러워서 고개를 들지 못했어.
자신이 문왕보다 작은 사냥터를 가지고 있다고 뽐내려 했는데 결국 창피만 당했거든.
…
혹 떼러 갔다가 혹 붙여 왔네.
맞아!
우리도 자신이 옳다고 생각한 것이 틀리는 경우가 있으니
항상 주위를 살펴보고 잘못된 점은 반성해야 해.
…
반성

6) 나라 안이 다스려지지 않으면 어찌해야 합니까?
사람은 누구나 자신의 잘못에는 관대하지만, 남의 잘못에는 관용을 베풀지 못하지.
왕의 신하 중에 그의 아내와 자식을 친구에게 맡기고 이웃 나라에 가서 놀다가 온 사람이 있다면
뭐요?!
왕은 어찌 하겠습니까?
절교 하겠습니다.
끄덕
형법을 다스리는 관리가
또 낮술 드셨군.
그의 밑에 있는 관속들을 다스리지 못하면 어찌 하겠 습니까?
당연히 파면 시켜야죠.
그럼….
나라 안이 다스려지지 않으면 어찌 하겠습니까?
쿨쿨
맹자의 예리한 물음에 선왕은 얼굴을 붉히며 아무런 대답도 못했어.
이렇게 맹자는 왕의 잘못을 꾸짖더라도 논리적으로 하니
논 리 적
선왕이 꼼짝할 수 없었던 거지.
혼쭐이 났네.

7) 큰 용기는 의리에서 나옵니다.
군주가 용맹을 부리고자 할 때는 백성에게 도움을 줄 수 있는 의로운 용맹을 부려야 한다고 했어.
용기
하루는 선왕이 자신의 결점에 대해 물었어.
선생님! 제게 나쁜 습관이 있는데.
다른 것이 아니라, 저는 '용맹'을 좋아합니다.
우하하하
이에 맹자는 작은 용맹은 좋아하지 말라고 충고했어.
필부(匹夫)의 용기는 적 한 사람만을 상대하는 것입니다.
뒤 동산으로 나와!
흥! 나오라면 못 나올줄 알고?
'필부'란 보통 사람을 말해.
왕께서는 용맹을 크게 하십시오.
어험!
용맹
눈을 부릅뜨고 질시를 해서 상대방을 노려보는 것은 작은 용맹이며
벌써 2시간째야
혈기가 하는 일입니다.
에구~ 이놈아 혈기 좀 죽여.

혈기(血氣)란 격동하기 쉬운 의기로 힘을 쓰고 활동하게 하는 원기(元氣)를 말해.
탁탁
血
氣
그러나 진정한 큰 용맹은 의리에서 나온다고 했어.
용
맹
크앙
의리
옛날 주나라 문왕이 한번 화가 났을 때 큰 용맹을 부려 침략자들의 무리를 막았고
와아
무왕 역시 은나라 마지막 왕이자 폭군이었던 주(紂)왕을 큰 용맹으로 물리쳤어.
감히 어딜!
그래서 천하의 백성들을 편안하게 했대.
문왕과 무왕처럼 의리에서 나오는 용맹이 진정한 용맹이고 큰 용맹이라는 말이야.
우리 문왕이야 말로 진정한 군주야.
그리고 선왕에게 작은 용맹을 부리지 말라고 따끔하게 충고를 한 거지.
너의 용맹은 어떤 거야? 선왕처럼 작은 거? 문왕처럼 큰 거?
자, 어서 다음 얘기로 넘어가자.

8) 한 그릇의 밥이라도 남에게 받을 수 있습니까?
공직에 머무르는 사람은 도가 아니면 한 그릇의 밥도 남에게 받을 수 없지만
도에 적합하다면 즉, 이치나 도리에 맞는다면 천하를 받아도 지나침이 없어.
천하
맹자가 제자들과 함께 길을 떠나 다른 나라로 가고 있었어.
팽경(彭更)이라는 제자가 갑자기 맹자에게 물었어.
궁금한 것이 있습니다.
스승님 뒤에 따르는 수레가 수십 대입니다.
또 스승님을 수행하는 제자들과 따르는 사람들이 수백 명이나 됩니다.
이렇게 많은 사람들이 제후들에게 밥을 얻어먹는 것은 너무 지나친 일이 아닙니까?
그러자 맹자는
도가 아니면 한 그릇의 밥이라도 남에게 받을 수 없다.

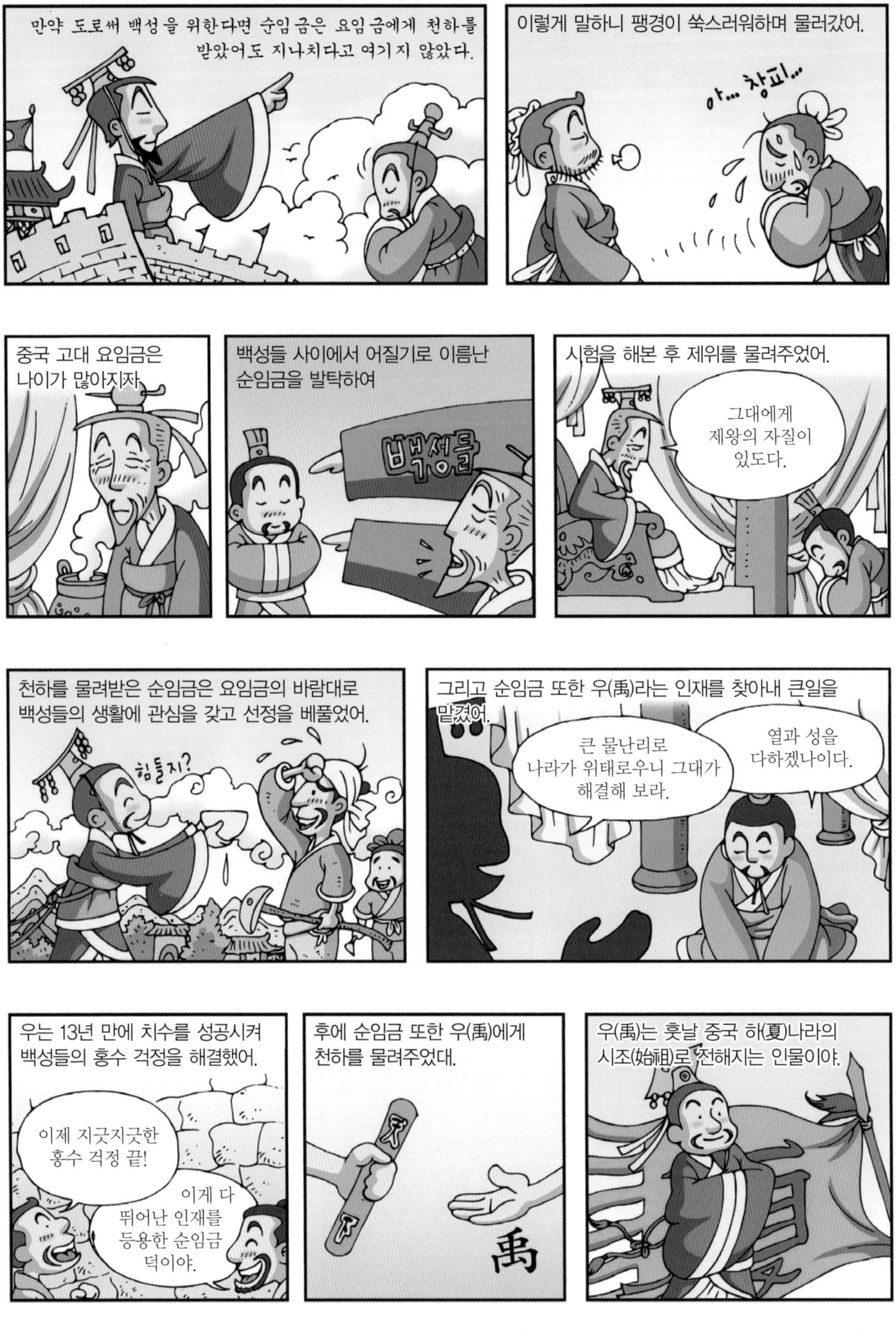
만약 도로써 백성을 위한다면 순임금은 요임금에게 천하를 받았어도 지나치다고 여기지 않았다.
이렇게 말하니 팽경이 쑥스러워하며 물러갔어.
아... 창피...
중국 고대 요임금은 나이가 많아지자
백성들 사이에서 어질기로 이름난 순임금을 발탁하여
백성들
시험을 해본 후 제위를 물려주었어.
그대에게 제왕의 자질이 있도다.
천하를 물려받은 순임금은 요임금의 바람대로 백성들의 생활에 관심을 갖고 선정을 베풀었어.
힘들지?
그리고 순임금 또한 우(禹)라는 인재를 찾아내 큰일을 맡겼어.
큰 물난리로 나라가 위태로우니 그대가 해결해 보라.
열과 성을 다하겠나이다.
우는 13년 만에 치수를 성공시켜 백성들의 홍수 걱정을 해결했어.
이제 지긋지긋한 홍수 걱정 끝!
이게 다 뛰어난 인재를 등용한 순임금 덕이야.
후에 순임금 또한 우(禹)에게 천하를 물려주었대.
禹
우(禹)는 훗날 중국 하(夏)나라의 시조(始祖)로 전해지는 인물이야.

9) 비방하고 칭찬하는 말이 반드시 진실된 것은 아닙니다.
간사하고 도량이 좁은 사람이 왕의 주변에 있으면 편협된 생각과 오만한 생각으로 군주의 생각을 어지럽히고 대의를 그르치게 해.
맹자가 제자들에게 말했어.
군주의 잘못된 정사(政事)를 누구나 다 흠잡을 수 없다.
오직 대인이어야 군주의 나쁜 마음을 바로잡을 수 있다.
소인이 군주의 주위에 있으면 군주의 나쁜 마음을 바로잡기는커녕
오히려 군주를 더욱 나쁘게 하기가 쉬운 법!
군주가 어질면 모든 일이 어질게 되며
군주가 의로우면 의롭지 않은 게 없고
당연히 나라가 안정된다.
맹자는 왕도 정치가
오직 군주의 마음먹기에 달렸다고 본 거야.

제5장 내게서 나온 것은 반드시 내게로 돌아옵니다

1) 백성과 함께
재물을 좋아
하십시오.
며칠 뒤 선왕이 또 맹자를 찾아와서
자신에게 재물을 좋아하는 결점이 있다며, 어떻게 하면 좋을지 물었어.
옛날에
공유라는 사람이
재물을
좋아했습니다.
그는 백성들에게 곡식 더미를 쌓게 하고

마른 양식은 전대에다 넣고 자루에다 싸서 창고에 보관하며
더 넣을 데가 없나?
항상 백성들이 편안히 지낼 수 있도록 살폈습니다.
아침은 먹었나?
예
또 나라에 위급한 일이 생길 것에 대비해
음… 아무래도 이웃 나라가 수상해.
활과 화살을 준비하고 창과 방패를 준비해 두었습니다.
유비무환!
선왕은 그런 사람이 있냐며 놀랐어.
급하게 길을 떠나는 자가 생겨도
집에 남은 사람들은 곡식 더미와 창고가 있으니 든든할 것이며
떠나는 자는 전대에 양식이 있으니 마음 놓고 떠났다고 합니다.
왕께서도
백성과 함께 재물을 좋아한다면 왕 노릇 하기에 어려움이 없을 것입니다.
양식
아하! 재물을 좋아하되 백성들이 넉넉하고 풍족하도록 마음을 쓰라는 말씀이구나.
맞아. 우두머리 정도 되려면 적어도 아랫사람부터 챙기는 마음이 있어야지.

2) 백성들이 어질다고 하면 살펴보아 등용하십시오.
이번에는 맹자가 제 선왕을 찾아가 말했어.
군주가 친애하고 신임하는 신하가 있어야 하는데
왕의 주변에는 그와 같은 신하가 없습니다.
그러자 선왕이 어째서 그러냐며 궁금해 했어.
맹자는 그 이유에 대해 설명하기를
이유인 즉
일전에 등용했던 신하가 지금은 왕의 곁을 떠나갔는데도
사표
왕이 모르고 계시니 그렇습니다!
아닙니다! 제가 어찌 그들의 재주가 있고 없음을 알아서 버린단 말입니까?
선왕은 떠나간 자들을 모두 재주 없는 자들로 여겼으며, 이를 모르고 잘못 등용했다고 여겼어.
흥
저런 자들이야 떠나건 말건 신경 안 써.

군주는 어진 사람을 등용하되 부득이한 것처럼 해야 합니다.
왜 그렇게 해야 하나요?
잘못 등용하면 지혜가 낮은 사람이 지혜가 높은 사람 위로 올라갈 수 있으며
마음이 협소한 사람이 마음이 깊은 사람을 짓밟을 수 있습니다!
아부
아부
아부
맹자의 말에 선왕은 좀 더 자세히 들려주길 청했어.
이에 맹자는 조정의 신하들이 등용할 사람을 어질다고 말해도 허락하지 말고
여러 대부들이 모여서 어질다고 해도 허락하지 말고
추천
대부
백성들이 어질다고 말하면 잘 살펴본 뒤 등용해야 한다고 했어. 그러므로 더더욱 군주 마음대로 신하를 등용하는 것은 안 된다는 말이지.
백성
보증!

신하들이나 대부들에 비해, 백성들은 이해타산에 젖지 않았기 때문에 공정해.
그러므로 백성들이 모두 어질다고 하면 그 사람은 정말 어질 가능성이 높지.
하하하
맹자는 또 등용한 사람을 내쫓을 때나 죽일 만한 일이 있을 때에도
심사숙고해 결정해야 한다고 강조했어.
지금은 공부를 잘해서 시험 점수가 높은 사람이 등용되는 시대잖아.
필승
그럼 공부 잘하는 사람이 어진 사람인가?
꼭 그렇지도 않아.
회사에서 인재를 등용할 때 성적도 중요하지만
흐음, 성적은 뛰어난데….
그 사람이 지닌 품성도 눈여겨보거든.
툭하면 싸움질을 했군.
성품에 큰 문제가 있는 사람은 곤란해.
불합격
윗사람을 공경하고 어진 마음을 가진 사람은 누군가 반드시 알아주는 법이야.
부럽다…
남 몰래 선행 베푼 의인 대기업에 특채!

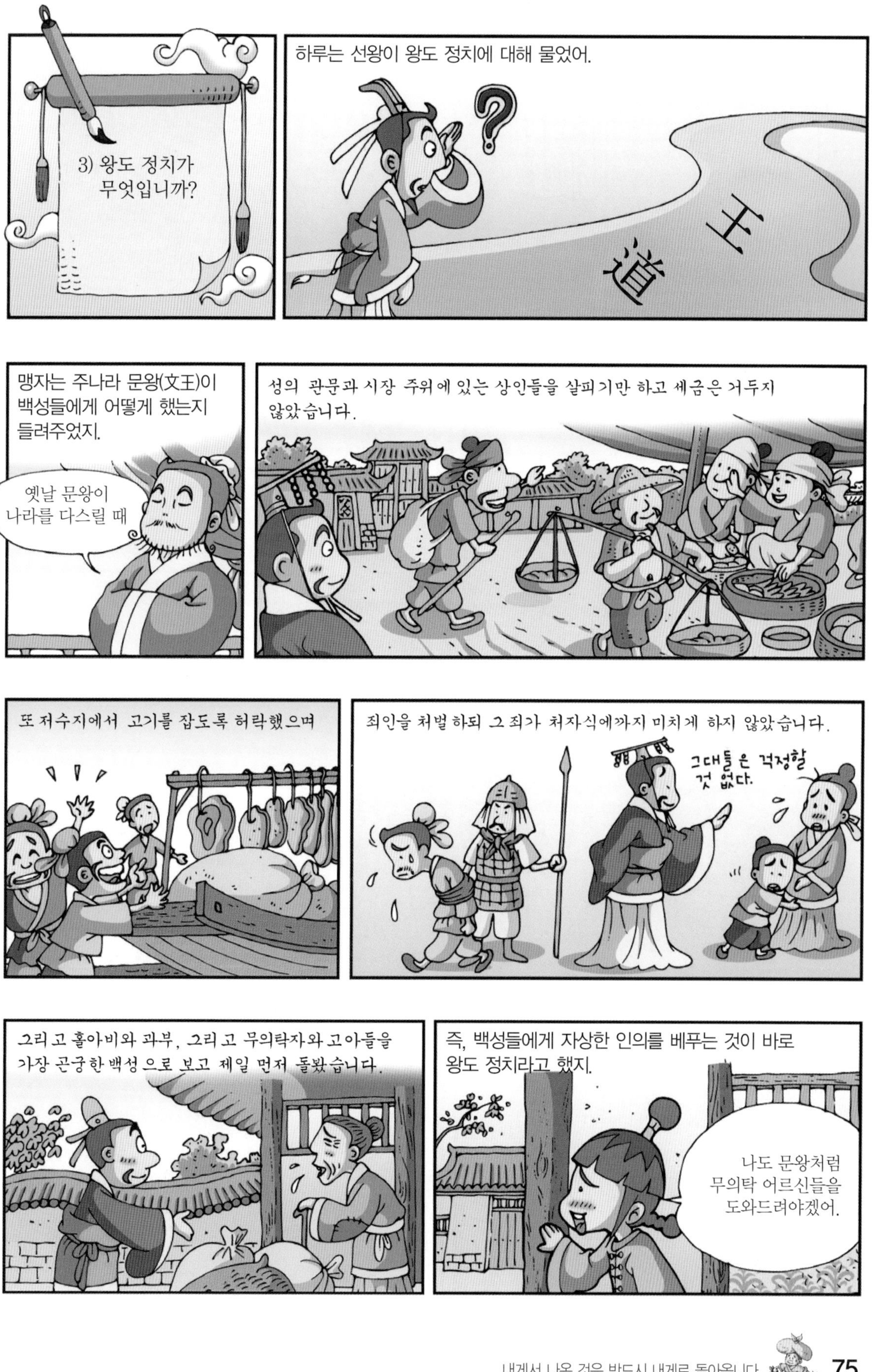
3) 왕도 정치가
무엇입니까?
하루는 선왕이 왕도 정치에 대해 물었어.
王道
맹자는 주나라 문왕(文王)이 백성들에게 어떻게 했는지 들려주었지.
옛날 문왕이 나라를 다스릴 때
성의 관문과 시장 주위에 있는 상인들을 살피기만 하고 세금은 거두지 않았습니다.
또 저수지에서 고기를 잡도록 허락했으며
죄인을 처벌하되 그 죄가 처자식에까지 미치게 하지 않았습니다.
그대들은 걱정할 것 없다.
그리고 홀아비와 과부, 그리고 무의탁자와 고아들을 가장 곤궁한 백성으로 보고 제일 먼저 돌봤습니다.
즉, 백성들에게 자상한 인의를 베푸는 것이 바로 왕도 정치라고 했지.
나도 문왕처럼 무의탁 어르신들을 도와드려야겠어.

4) 내게서 나온 것은 반드시 내게로 돌아옵니다.
맹자 나이 49세쯤 추나라와 노나라는 전쟁 중이었는데
와아아아
이때 추나라 목공이 애지중지하던 신하 33명이 전사하고 말았어.
그런데 목공이 슬퍼하건 말건 추나라 백성들은 보고만 있었대.
흐흐흑…
화가 난 목공이 백성들을 벌주려고 했지.
이것들을 그냥!
그런데 그 수가 너무 많았던 거야.
저… 전부 다요?
허걱!
웅성
웅성
목공은 할 수 없이 맹자를 찾아와 조언을 구했어.
우리 신하들이 죽은 것은 백성들이 질시하여 구원하지 않았기 때문이니 어찌하면 좋겠습니까?
질시란 남을 미워하고 시기하는 눈으로 바라보는 것을 말해.
백성들이 질시한 이유가 있었을 것 같아.

맹자는 백성들에게 들은 얘기를 들려주었어.
그 이유는 흉년에 기근이 들었을 때
굶어 죽는 백성들의 수가 수천 명인데
배고파~
나라의 창고에는 곡식이 가득 차 있으면서 관리들이 이 사실을 군주에게 알리지 않았기 때문이라고 합니다.
곡식
그러자 목공이 놀라면서
처음 듣는 얘기입니다.
이것은 응당 윗사람이 태만하여 백성들을 죽인 것입니다.
헉!
백성들이 그때의 원한을 지금에서야 되갚은 것이니 군주께서는 백성들을 탓하지 마십시오.
퍽
퍽
퍽
목공이 한참 생각하다가 묵묵히 돌아갔어.
군주가 백성을 사랑하는 마음으로 정치를 해야
위급할 때 백성도 그 군주를 위해 몸을 아끼지 않겠지?
당연한 말씀!

5) 무엇을
지언(知言)이라
합니까?
맹자의 제자 중에 제나라 사람 공손추가 있었어.
공손추
그가 어느 날 맹자에게 물었어.
스승님 마음을 움직이지 않게 하는 방법이 있습니까?
그러자 맹자가 있다고 하며
그것은 "내 마음에 주장이 있으면 동요되지 않을 수 있다."고 했어.
이 말은 원래 정자라는 사람이 한 말인데
어떠한 경우에도 내 마음속의 바른 것을 굳게 지키면 흔들리지 않는다는 뜻이지.
공손추가 다시 묻기를
무엇을 지언(知言)이라 합니까?
지언이란 '말을 안다'는 뜻으로 좀 어려운 말인데
이 말 말고
맹자가 쉽게 설명해 주었어.
말을 안다는 것은 한쪽으로 치우친 말에서 가려져 있는 뜻을 알아내고

음탕한 말에서 깊이 빠져 있는 뜻을 알아내며
간사한 말에서 배반된 뜻을 알아내며
변명하는 말에서 곤궁한 뜻을 알아내는 것이다.
어려워···.
쉽게 이야기해 줄게.
군자는 한쪽의 말만 듣고 쉽게 판단하지 않고
뜻이 사악하고 상대방을 흉보는 말을 가려들으며
쳇! 안 넘어 가네···.
변명하는 말들은 잘 판단해서 알아들어야 한다고 지적한 거야.
변명
변명
변명
즉 말 속에는 가려져 드러나지 않는 마음속 뜻이 있으므로 그것을 잘 알아들어야 비로소 '말을 안다.'는 거지.
이 사람의 마음속은 온통 욕심뿐이군.
자기한테 유리한 말만 번지르하게 하는 사람들이 더러 있지만
기호7번
세 번 생각하고 한 번 말한다는 삼심일언(三心一言)이란 말처럼
하고자 하는 말을 가슴 깊이 생각해 그 말과 행동이 예와 절도에 맞게 해야 하는 거야.
아하!

6) 호연지기
(浩然之氣)가
무엇입니까?
어느 날 공손추가 맹자에게 호연지기가 무엇인지 물었어.
맹자는 그 기운이 지극히 크고
지극히 강한 것이라고 했어.
정직함으로써 그것을 기르고
남을 해치는 일이 없으면
천지 사이에 꽉 들어차게 된다고 했어.
浩然之氣
기운이란 눈에 보이지는 않으나 느껴지는 현상을
말하는데
아주 넓고 강한 기운은 사람들의 지극한 정직함에서
생기는 것이며
사람이 태어난 것도 천지간의 정기로 태어났다고
여겼지.
그래서 사람이라면 그 정직함을 누구나 가지고 있다고
본 거야.
정직

다만 사람마다 그 순수한 정직함을 해치느냐 해치지 않느냐에 달려 있다는 거지.
휘이이잉~
호연지기는 의리를 많이 쌓아서 생겨나는 것이라고 했는데
콜록
콜록
'의리' 란 인간으로서 마땅히 행해야 할 바른 도리를 말해.
義理
오!
의리는 하루아침에 생기는 것이 아니라 평소에 쌓아 가야 해.
무슨 일을 하든지 그것에 대해 바른 도리인지 아닌지를 스스로 반성해야 정직함을 얻을 수 있지.
즉 마음속에 정직함이 커져야 호연지기를 얻을 수 있다는 말씀이야!
호연지기란 하늘과 땅 사이, 또는 사람의 마음에 차 있는 넓고 굳고 맑고 올바른 기운을 말해.
좋아, 앞으로 의리를 많이 쌓아 호연지기를 키우겠어!

7) 어찌 내 몸을 사랑하지 않겠습니까?
맹자는 제자들에게 자신의 몸을 사랑하라고 가르쳤어.
모든 사람들이 나무를 기르는 방법은 잘 알지만
자신들 몸을 어떻게 길러야 하는지는 모르니, 어찌 자신의 몸을 사랑한다고 할 수 있겠어?
불끈!
자신의 몸을 잘 기르는 것은 음식을 잘 먹고 옷을 잘 입는 것이 아니라
인, 의, 예를 길러야 한다는 거야.
잘 기르고 못 기르는 것은 어디까지나 자신에게 달린 거지.
맹자는 작은 것을 가지고 큰 것을 해치지 말고, 천한 것을 가지고 귀한 것을 해치지 말아야 한다고 했어.
작은 것을 기르는 자는 소인이 되고 큰 것을 기르는 자는 대인이 되며
음식을 밝히는 사람은 천하게 여기니
이것은 작은 것을 기르고 큰 것을 잃기 때문이라고 했어.

8) 어떤 사람을 착한 사람이라 합니까?
어느 날 제나라 사람 호생불해가 맹자를 찾아와 물었어.
악정자(樂正子)는 어떤 사람입니까?
맹자는 "착한 사람이며, 믿을 만한 사람이다."라고 답했지.
그러자 호생불해는 어떤 사람을 착한 사람이라 이르며, 어떤 사람을 믿을 만한 사람이라 하는지 알고 싶어 했어.
맹자는 누구나 좋아하고 따를 만한 사람이 착한 사람이고
착한 것을 자기 몸에 소유해 더러운 것을 미워하고
좋은 빛깔을 좋아하듯이 한다면 믿을 만한 사람이며
나아가 선함을 힘써 행하여 쌓게 되면 그 아름다움이 절로 드러나게 되는데, 이를 아름다운 사람이라고 했어.
매사에 충실하여 빛나는 사람을 대인이라 이르고
大人

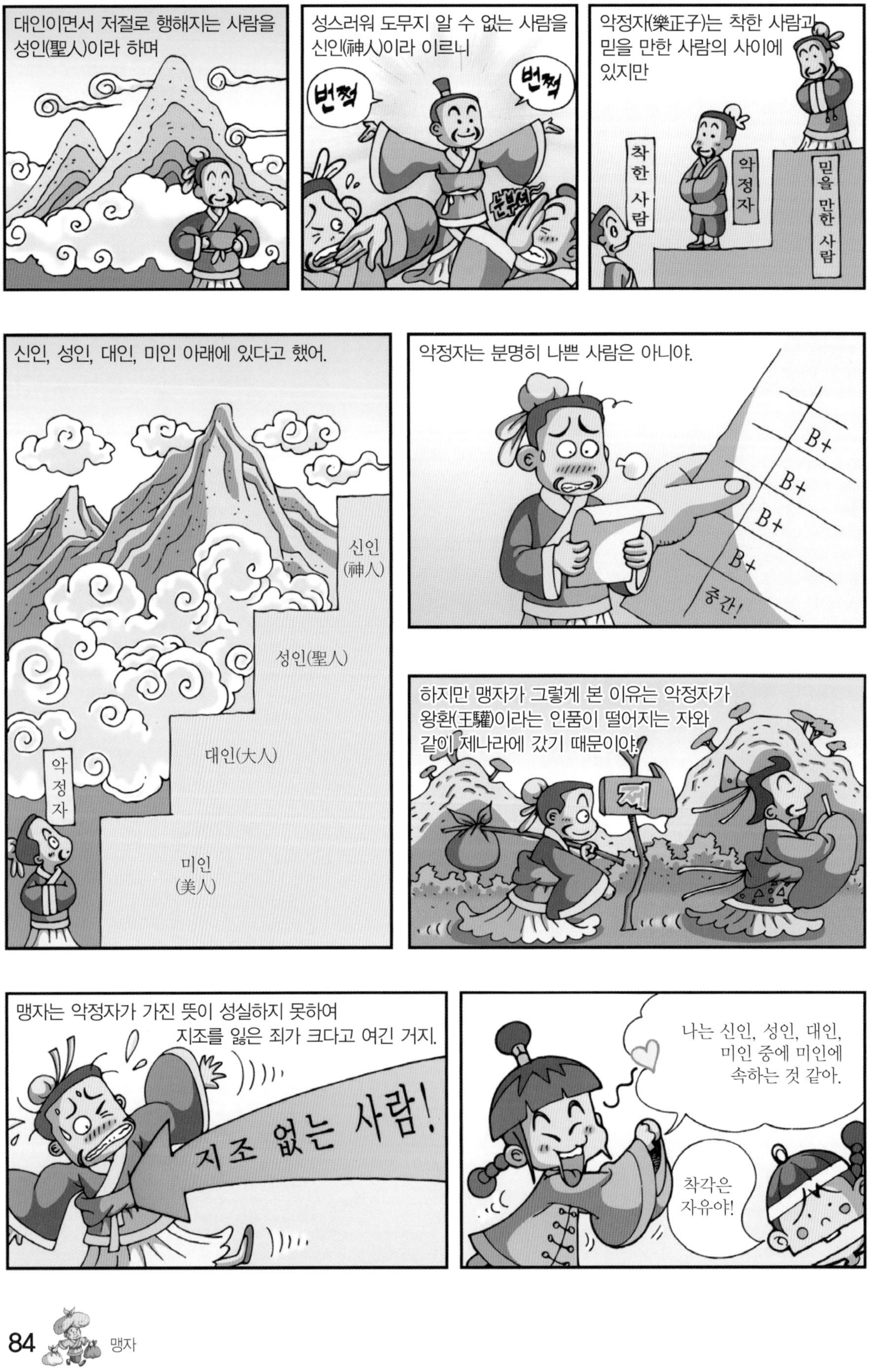
대인이면서 저절로 행해지는 사람을 성인(聖人)이라 하며
성스러워 도무지 알 수 없는 사람을 신인(神人)이라 이르니
번쩍
번쩍
눈부셔
악정자(樂正子)는 착한 사람과 믿을 만한 사람의 사이에 있지만
착한 사람
악정자
믿을 만한 사람
신인, 성인, 대인, 미인 아래에 있다고 했어.
신인(神人)
성인(聖人)
대인(大人)
미인(美人)
악정자
악정자는 분명히 나쁜 사람은 아니야.
B+
B+
B+
B+
중간!
하지만 맹자가 그렇게 본 이유는 악정자가 왕환(王驩)이라는 인품이 떨어지는 자와 같이 제나라에 갔기 때문이야.
제
맹자는 악정자가 가진 뜻이 성실하지 못하여 지조를 잃은 죄가 크다고 여긴 거지.
지조 없는 사람!
나는 신인, 성인, 대인, 미인 중에 미인에 속하는 것 같아.
착각은 자유야!

9) 제나라와
초나라
사이에 끼여
있습니다.
어느 날 등문공이
맹자에게 찾아와
묻기를
등나라는 보다시피 작은 나라로,
제나라와 초나라 사이에 끼여 있으니
어느 나라를 섬겨야 할지 모르겠습니다.
맹자는 자기가 계책을 내서
할 수 있는 일이 아니지만
꼭 답을 해야 한다면 성곽 둘레에
연못을 깊이 파고 성을 높이 쌓아
백성과 함께 지켜서, 백성들이 죽을
각오를 하여 떠나가지 않는다면
해볼 만할 거라고 했어.
즉 등문공이 선정을 펼쳐 덕을 베풀면
백성들이 왕을 신임하고 어떠한 경우라도
목숨을 바쳐 나라를 지킨다는 거지.
감동
감격
그렇지 않으면 큰 나라
사이에 낀 작은 나라는
제
초
등
종묘사직을 지키기 어렵다는
이야기야.
뚝!
백성들의 믿음도 없이 요행을 바라서
구차하게 환란을 면하려고 한다면
결국에는 망할 수밖에 없을 거야.
가지 마~!
종묘사직이 뭐야?
왕실의
조상을
모시는
사당과 국가라는
뜻이지.

제 6 장 모든 사람에게는 차마 남을 해치지 못하는 마음이 있습니다

1) 내가 원하는 것은 공자를 배우는 것입니다.

제자 공손추가 맹자에게 묻기를
백이와 이윤은 어떤 분들입니까?

맹자는 두 분의 도가 같지 않다고 했어.

두 사람 다 훌륭하지만 실천하는 방법은 달랐다는 뜻이야.
…
…

백이는 섬길 만한 군주가 아니면 섬기지 않았고 부릴 만한 백성이 아니면 부리지 않았으니
흥!
부글
부글
세상이 다스려지면 나아가고 어지러우면 물러갔다고 했어.
백이라는 사람에 대해 자세히 가르쳐 줘.
백이는 중국 은나라 고죽국의 첫째 왕자였는데, 동생인 숙제와 함께 의롭기로 유명했지.
고죽국
두 사람은 서로가 나라를 양보하고 폭군 주왕(紂王)을 피해 숨어 살았대.
휙
휙
그러다가 주나라 문왕의 덕이 높다는 소문을 듣고 문왕에게 갔지만 문왕이 죽고 그 아들 무왕이 다스리고 있었어!
그런데 무왕은 아버지의 장례도 치르지 않고 은나라 주왕을 정벌하러 나섰지 뭐야.
비켜!
그것을 본 백이는 무왕이 자신의 아버지에게 불효하는 사람이라 여겼어.
그래서 숙제와 같이 주나라의 곡식을 먹지 않겠다 하고, 수양산에 은거하여 고사리로 끼니를 잇다가 결국 굶어서 죽었어.
꼬르륵
꾸르륵

공손추가 재촉하듯 또 물었어.
그럼 이윤은?
이윤은 "누군들 내 군주가 아니며 누군들 내 백성들이 아니겠는가?"
라고 하며 다스려져도 나아가고 혼란해도 나아갔지.
오로지 전진!
다다다다
이윤이 누구냐 하면….
설명 부탁해.
유신(有莘)이라는 곳의 농부였는데
은나라 탕왕이 초빙하여 등용해서 하나라 걸왕에게 보내졌어.
성품이 어진 이윤으로 하여금 폭군 걸왕을 깨우치게 하려는 뜻에서 보냈던 거야.
하지만 걸왕은 이윤의 재주를 믿지 않아 등용시키지 않고 다시 탕왕에게 돌려보내 버렸어.
따닥
탕왕은 돌아온 이윤을 다시 걸왕에게 보내고
딱
걸왕은 다시 돌려보내고
필요 없다니까!
딱
이러기를 무려 다섯 번!
핑

끝내는 이윤이 탕왕을 도와 걸왕을 정벌했지. 공손추가 또 물었어.
그럼! 스승님께서는 누구를 따르겠는지요?
그러자 맹자는 이렇게 말했어.
맹자는 벼슬을 할 만하면 하고, 그만 둘 만하면 그만두며,
오래 머물 만하면 오래 머물고, 빨리 떠날 만하면 빨리 떠난 분은 공자이셨으니
가지 마요~
내가 원하는 것은 공자를 배우는 것이다.
사부!
백이, 이윤, 공자 모두 훌륭한 분들이지만
백이는 너무 깨끗하여 고기가 살기 어려운 물 같고
치사해서 내가 떠난다
이윤은 너무 세상과 가까워서 혼탁해지기 쉽지만
돈, 명예
권력
유혹에 빠지면 안 돼.
공자는 세상을 함부로 배척하지도 않고 쉽게 타협하지도 않는 지혜를 가졌기에
사뿐
지혜의 강
공자를 배우고 싶다고 한 거야.
공자
호오! 공자님과 맹자님은 서로 통하는 면이 있으시구나.
맞아!

2) 성인들에게는 같은 점이 있습니까?
공손추가 다시 묻기를
그렇다면 성인(聖人)들에게는 같은 점이 있습니까?
맹자는 있다고 대답하며
그래!
만약 백 리 되는 땅을 내줘서 왕 노릇을 시키면 모든 제후들에게 존경을 받고
최고!
천하를 소유할 수 있는 점이 같으며
의롭지 않는 일로 천하를 얻지 않는다는 것이 같은 점이라고 했어.
나 도
사랑해 줘요.
No
공손추가 알아듣는 듯이 고개를 끄덕였어.
아~!

3) 패자와 왕자는
힘과 덕의
차이입니다.
이번엔 맹자가 공손추에게 물었어.
천하를 제패한
사람을 무엇이라
부르느냐?
공손추가
대답했어.
패자(覇者)
입니다!
다시 맹자는 패자란 어떤 사람이냐고
물었지.
공손추는 대답하지 못하고
머뭇거렸어.
맹자는 힘으로 어진 마음의 행위를 빌린 사람을
패자라고 하며, 반드시 대국을 소유해야 하지만
덕으로 어진 마음을 행한 자를 왕자(王者)라고 하니 왕
자는 대국을 필요치 않는다고 했어.
또, 힘으로 남을 복종시키면
상대방이 진심으로 복종하는
것이 아니며
꾹
꾹
덕으로 남을 복종시켜야 상대방이
마음속으로 기뻐하여 진실로 복종하는
것이라며
덕을 베풀어 정치를 행하여 백성들이
기뻐하여 진실로 복종하게 되며
이러한 정치를 왕도 정치라 했어.
왕도 정치

4) 화와 복은 자기로부터 출발합니다.
사람이 인(仁)하면 영화롭고 불인(不仁)하면 치욕을 받는다.
이 말은 사람들은 치욕을 싫어하면서도 행동은 어질지 못하게 행한다는 거야!
그래서 사람들이 어리석다는 거지.
이곳에 쓰레기를 버리지 맙시다
쓰레기
남을 사랑하는 마음을 가지면 모든 것이 영화로울 텐데.
1000
모금함
그러지 못하고 사랑하지 못함을 선택하니 안타까워하는 말이지.
군주는 덕을 귀하게 여겨서 선비를 높여야 하며, 덕이 있는 현명한 사람에게 높은 지위를 내려 나라의 정사와 형벌을 밝혀야 한다고 했어.
이러니… 저러니…
음… 좋은 말이야!
그렇게 하면 강대국이라도 반드시 그 나라를 두려워한다는 거야.
한판 붙자 이거지?
말로 해요…
반대로 나라에 인재가 없어 정사를 살피지 않고, 한가하다고 해서 즐기고 태만하며
부어라~ 마셔라~

오만한 짓을 하면 스스로 화를 불러 망하게 된다는 거야.
어머나!
지금도 현명하고 덕이 있는 사람에게 정치를 맡기면
정치
두말할 것도 없이 나라를 다스리는 게 손바닥 위에 올려놓고 움직이는 것처럼 쉬워질 거야.
그렇지 않고 자기에게 맞는 사람에게만 정사를 맡기면 맹자의 말처럼 화를 입게 되겠지.
흥
쳇
하늘은 스스로 돕는 사람을 돕는다고 했어.
즉 열심히 노력하고 착한 일을 하는 사람에게 복을 주는 거야.
무료급식소
좋아, 하루에 덕을 쌓는 일 한 가지씩!
꾸욱
하하! 이번에는 작심삼일이 되지 않기를 빌게.

5) 모든 사람에게는 차마 남을 해치지 못하는 마음이 있습니다.
맹자는 측은지심(惻隱之心)에 대해 말했어.
모든 사람에게는 차마 다른 사람을 해치지 못하는 마음이 있다는 거지.
이것은 남을 측은하게 보고 불쌍히 여기는 마음이야.
만약 어떤 아이가 물에 빠져 허우적대고 있으면
모두들 불쌍하게 여기는 마음이 생겨 아이를 구하려고 해.
이렇게 측은해 하는 마음이 없으면 사람이 아니라고 했고
죽은 개미
또 부끄러워하거나
하나가 없네?
미워하는 마음이 없거나
옳고 그름을 판단하는 마음이 없으면 사람이 아니라고 했는데
사람은 누구나 이러한 네 가지 마음을 가지고 태어나기 때문이랬어.
惻隱之心
응애

맹자는 인간이 가지고 있는 네 가지 마음씨를 사단(四端)이라 했지.
사단
사단이란 인(仁) · 의(義) · 예(禮) · 지(智)에서 우러나오는
仁
義
禮
知
불쌍히 여기는 측은지심,
惻隱之心
부끄러워할 줄 아는 수오지심,
羞惡之心
사양할 줄 아는 사양지심,
辭讓之心
옳고 그름을 판단하는 시비지심을 말해.
是非之心
사단은 누구나 가지고 태어나지만
더욱 넓혀서 마음속 가득 채워야 한대.
그렇게 한다면 큰 바다를 내 마음속에 모두 담을 수 있다고 했어.
만일 네 가지 마음을 채우지 못한다면 곁에 계신 부모도 섬길 수 없어.
나 살기도 바빠!
결국 하늘이 내게 주신 본성, 즉 사단을 넓히면 모든 것을 다 이룰 수 있다는 얘기지.
이 작은 마음속에 세계가 들어 있는 셈이네.

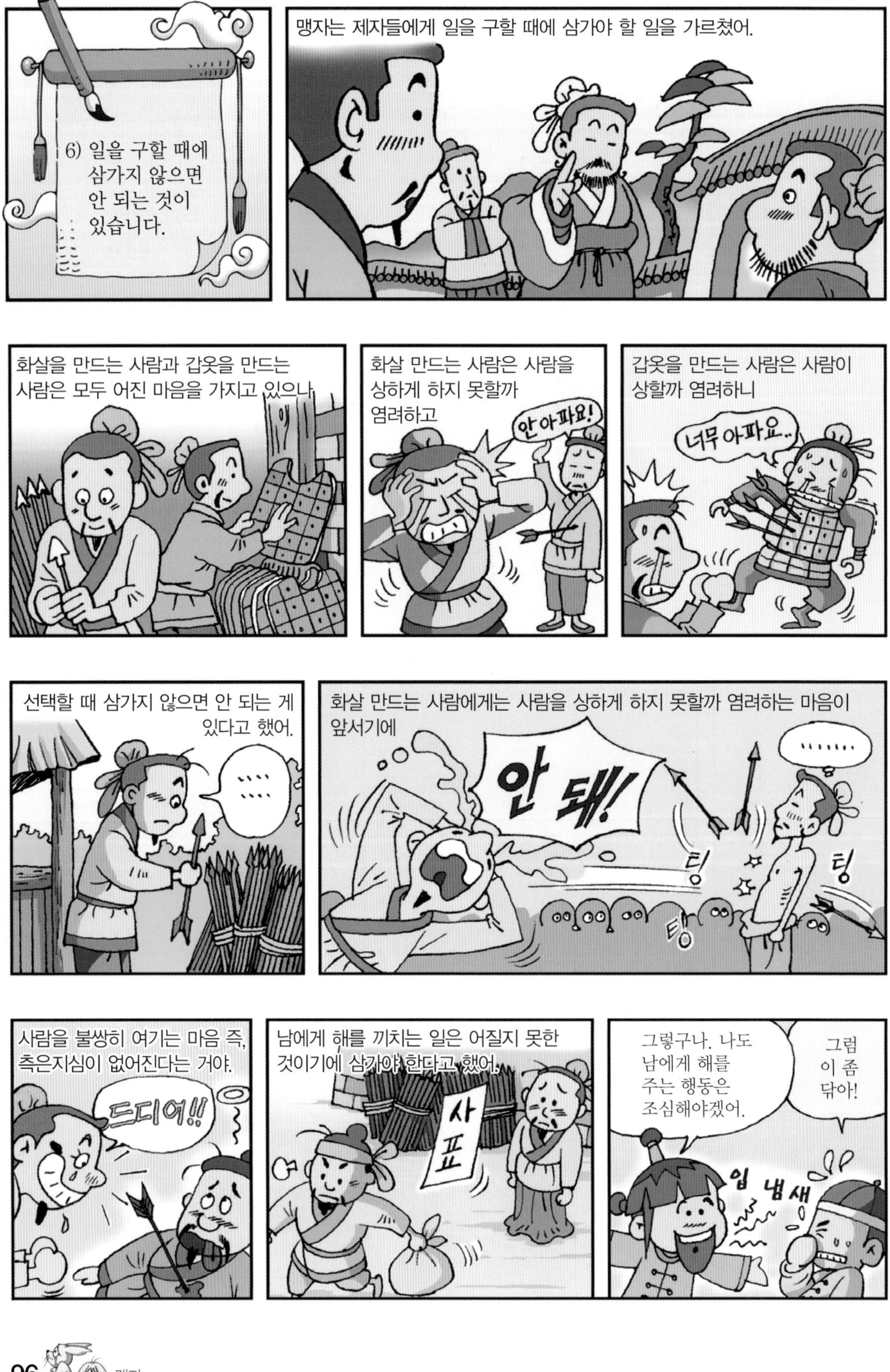

6) 일을 구할 때에 삼가지 않으면 안 되는 것이 있습니다.
맹자는 제자들에게 일을 구할 때에 삼가야 할 일을 가르쳤어.
화살을 만드는 사람과 갑옷을 만드는 사람은 모두 어진 마음을 가지고 있으나,
화살 만드는 사람은 사람을 상하게 하지 못할까 염려하고
안 아파요!
갑옷을 만드는 사람은 사람이 상할까 염려하니
너무 아파요...
선택할 때 삼가지 않으면 안 되는 게 있다고 했어.
....
....
화살 만드는 사람에게는 사람을 상하게 하지 못할까 염려하는 마음이 앞서기에
안 돼!
....
팅
팅
팅
사람을 불쌍히 여기는 마음 즉, 측은지심이 없어진다는 거야.
드디어!!
남에게 해를 끼치는 일은 어질지 못한 것이기에 삼가야 한다고 했어.
사표
그렇구나. 나도 남에게 해를 주는 행동은 조심해야겠어.
그럼 이 좀 닦아!
입 냄새

7) 백성들과
더불어
선한 일을
합니다.
하루는 맹자가 제자들에게 자로의 일화를 이야기했어.
자로는 공자의 제자로 무술 실력이 뛰어나 항상 공자를 수행했던 사람이야.
공자도 자로를 많이 아끼고 신뢰했다고 해.
귀여운 것!
부끄러워요….
맹자가 말하길
자로는 사람들이 그의 허물에 대해 얘기해 주면 기뻐했다.
그리고 자로처럼 남의 좋은 말을 귀담아들을 줄 알았던 다른 위인들의 이야기도 해 줬지.
어진 왕으로 유명한 하나라의 우왕은 좋은 말을 들으면 상대에게 절을 했는데
전하..
그보다 더 위대한 순임금은
다른 사람과 함께 선을 실천해 자신을 버리고 남을 따르며
선을 실천 해야…
음

남에게 착함이 있으면 취하기를 좋아했다고 했어.
선한 말을 들으면 절을 한 우임금도 어진 분이지만
순임금은 백성들과 함께 밭을 갈고 곡식을 심으며
질그릇을 굽고, 고기를 잡을 때도 그들과 함께했어.
후에 황제가 될 때도 백성들이 원해서 황제가 된 거야.
최고야!
굿!
멋져!
와
그만큼 백성들이 우러러봤고
덕망도 높았던 거야.
우리 임금님 최고!
순임금처럼 백성들이 착하게
살아갈 수 있도록 도와준다면
누군들 안 따르겠어.
와
와
맞아, 어려울 때
친구들이 도와주면
정말 고맙지.
하지만 숙제 같은
건 남의 도움 받지
말고 스스로 해!

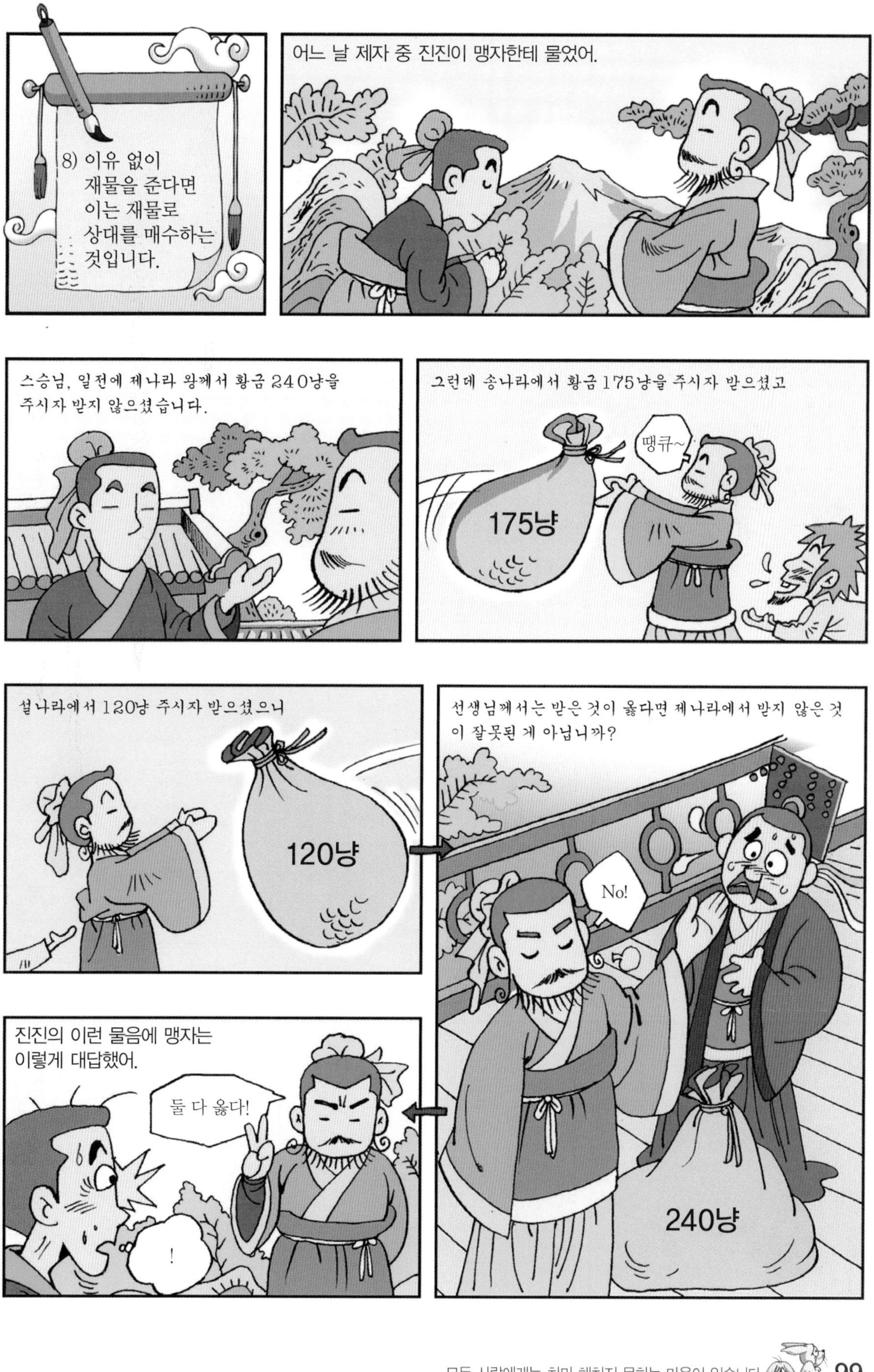
8) 이유 없이 재물을 준다면 이는 재물로 상대를 매수하는 것입니다.
어느 날 제자 중 진진이 맹자한테 물었어.
스승님, 일전에 제나라 왕께서 황금 240냥을 주시자 받지 않으셨습니다.
그런데 송나라에서 황금 175냥을 주시자 받으셨고
땡큐~
175냥
설나라에서 120냥 주시자 받으셨으니
120냥
선생님께서는 받은 것이 옳다면 제나라에서 받지 않은 것이 잘못된 게 아닙니까?
No!
240냥
진진의 이런 물음에 맹자는 이렇게 대답했어.
둘 다 옳다!
!

진진은 어리둥절할 수밖에 없었어.
맹자는 그 이유를 설명했어.
송나라에 있을 때 받은 것은
송
왕이 "노자를 드립니다."하여 받았던 것이고
먼 길 갈 때 쓰십시오.
설나라에서 준 돈은 나를 해치려는 사람이 있어 신변을 보호하는 데 쓰라고 주었기에 받았으나
제나라에서는 아무 이유 없이 황금을 주니
이유없이 준다면 재물로 나를 매수하려는 것 아닌가?
!
No!
진진과 제자들은 비로소 맹자의 높은 뜻을 이해할 수 있었지.
옛날이나 지금이나 명분 없이 주고받는 것은 작은 것이라도 경계해야 해.
험험
물질을 주고받음에 있어서 의리에 합당한지 한 번쯤 비추어 봐야 한다는 말이야.
음….
뇌물
나쁜 뜻이 숨은 재물은 당당히 거부할 수 있는 마음가짐이 있어야 해.
좍
좍
좍

9) 천 리를 가지고
남을 두려워
합니다.
제나라 선왕이 연나라를 정벌하자
주변의 제후들이 연나라를
구원하려는 움직임을 보였어.
제나라 선왕이 맹자에게
물었어.
주변 제후들이 연합해서
과인을 정벌하려는
사람들이 많은데
어찌하면 좋겠습니까?
맹자가 이렇게 말했어.
맹자가 대답하길 칠십 리의 작은 땅을
가지고도 나라를 다스린 사람은
탕왕이며
내 땅이다!
작아도...
小
천 리를 가지고 남을 두려워하는 사람은 듣지 못했습니다.
大國
내 땅이다.
너무 커...
지금 연나라 군주가 백성에게 포악하게 해서 왕께서 가서
정벌했습니다.
비켜!

연나라 백성들은 장차 자신들을 도탄에서 구원해 주기를 바라고 왕의 군대를 환영했습니다.
와아
와-
그런데 만일 그 부형들을 해친다거나 자제들을 구속하며
종묘를 부수고 중요 기물을 가져 간다면 어찌 올바르겠습니까?
왕께서 속히 명령을 내리시어 노약자들을 돌려 보내고 중요 기물들을 가져 오는 것을 중지시키고
연나라 백성들과 상의해서 군주를 세운 뒤 군대를 철수시켜 떠나오시면
제후들의 공격을 멈추게 할 수 있을 겁니다.
그래?
공격이 멈췄습니다.
맹자께서 제나라와 양나라의 군주를 섬길 때 도덕을 논할 때마다 반드시 요임금과 순임금을 칭하고
정벌을 논할 때면 반드시 탕왕과 무왕을 칭했으니
백성을 다스리는 것은 요순을 본받고
집안 살림이 어려우니 세금은 내지 마세요.
예?!
군대를 출동할 때는 탕왕과 무왕을 본받지 않는다면, 이것은 '난(亂)'이 되는 것이라 했어.
탕왕
아이고 기죽어.

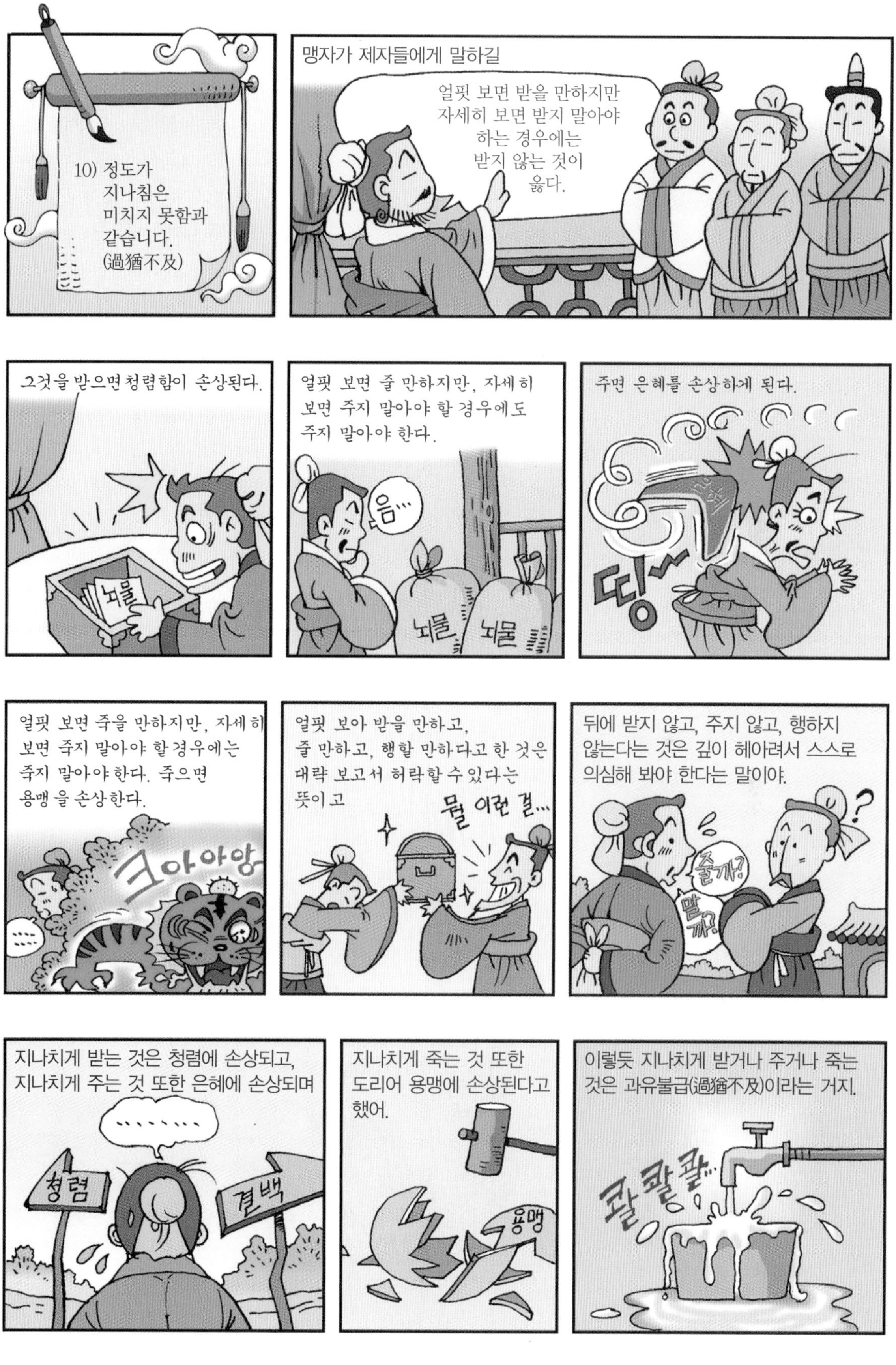
10) 정도가 지나침은 미치지 못함과 같습니다. (過猶不及)
맹자가 제자들에게 말하길
얼핏 보면 받을 만하지만 자세히 보면 받지 말아야 하는 경우에는 받지 않는 것이 옳다.
그것을 받으면 청렴함이 손상된다.
뇌물
얼핏 보면 줄 만하지만, 자세히 보면 주지 말아야 할 경우에도 주지 말아야 한다.
음…
뇌물
뇌물
주면 은혜를 손상하게 된다.
띵~
얼핏 보면 죽을 만하지만, 자세히 보면 죽지 말아야 할경우에는 죽지 말아야 한다. 죽으면 용맹을 손상한다.
크아아앙
얼핏 보아 받을 만하고, 줄 만하고, 행할 만하다고 한 것은 대략 보고서 허락할 수 있다는 뜻이고
뭘 이런 걸…
뒤에 받지 않고, 주지 않고, 행하지 않는다는 것은 깊이 헤아려서 스스로 의심해 봐야 한다는 말이야.
줄까?
말까?
지나치게 받는 것은 청렴에 손상되고, 지나치게 주는 것 또한 은혜에 손상되며
청렴
결백
지나치게 죽는 것 또한 도리어 용맹에 손상된다고 했어.
용맹
이렇듯 지나치게 받거나 주거나 죽는 것은 과유불급(過猶不及)이라는 거지.
콸콸콸…

11) 군자는 토지를 가지고 사람을 해치지 않습니다.
어느 날 나라의 등문공이 맹자에게 물었어.
등나라는 작은 나라입니다.
힘을 다해 큰 나라를 섬기는데도 침략을 면치 못하니 어찌하면 좋겠습니까?
맹자가 말했어.
옛날에 태왕이 빈 땅에 머물 적에 오랑캐들이 침략하자
그들은 가죽과 폐백으로 오랑캐를 섬겼는데도 화를 면치 못했고
개와 말로 섬겼는데도 화를 면치 못했으며
죽여!
값진 구슬을 가지고 섬겼는데도 결국 화를 면치 못했습니다.
비싼 건데….
그래서 태왕이 나라의 원로들을 모아놓고 말하기를,
오랑캐 놈들이 원하는 것은 우리 땅입니다!
"옛 말씀에 '군자는 토지를 가지고 사람을 해치지 않는다.' 하니

내가 장차 이곳을 떠나겠습니다."
하고 빈 땅을 버리고
토지
양산을 넘어가 기산 아래에 도읍 터를 만들어 살았습니다.
그러자 빈 땅에 살았던 백성들이 말하기를
어진 사람이다.
놓쳐서는 안 된다.
하고는 뒤를 따르는 사람들이 줄을 이었습니다.
웅성
웅성
와글
와글
자-! 줄을 서시오
맹자가 계속 말하기를
등나라의 어떤 사람은 대대로 지켜오는 땅이라 자신이 마음대로 할 수 없는 것이므로
아!
목숨을 바쳐서라도 사직을 보전하고 떠나지 말라고 하는데 왕께서는 어찌하겠습니까?
……
그러자 문공이 대답을 못하고 잠자코 있었어.
만약 태왕과 같이 땅을 버리고 옮겨 갈 수 있으면 화를 피할 것이요, 덕이 없으면 폐망한다는 말이지.
등나라는 결국 기원전 7세기 초나라 문왕에게 멸망되었어.

제7장 모든 것은 과인의 죄입니다
1) 천시(天時)와 지리(地利)는 인화(人和)만 못합니다.
맹자가 제자들에게 인화(人和)에 대해 말했어.
천시가 지리만 못하고 지리가 인화만 못하다.
천시란 하늘의 도움이 있는 시기를 말하며
지리는 땅의 형세로 생기는 이로움을 가리키는 말이야.
덤벼 봐!
저길 어떻게….
즉, 산이 험하고 강과 하천이 막혀 있어서 함부로 적들이 쳐들어오지 못하는 성의 견고함 등을 뜻해!

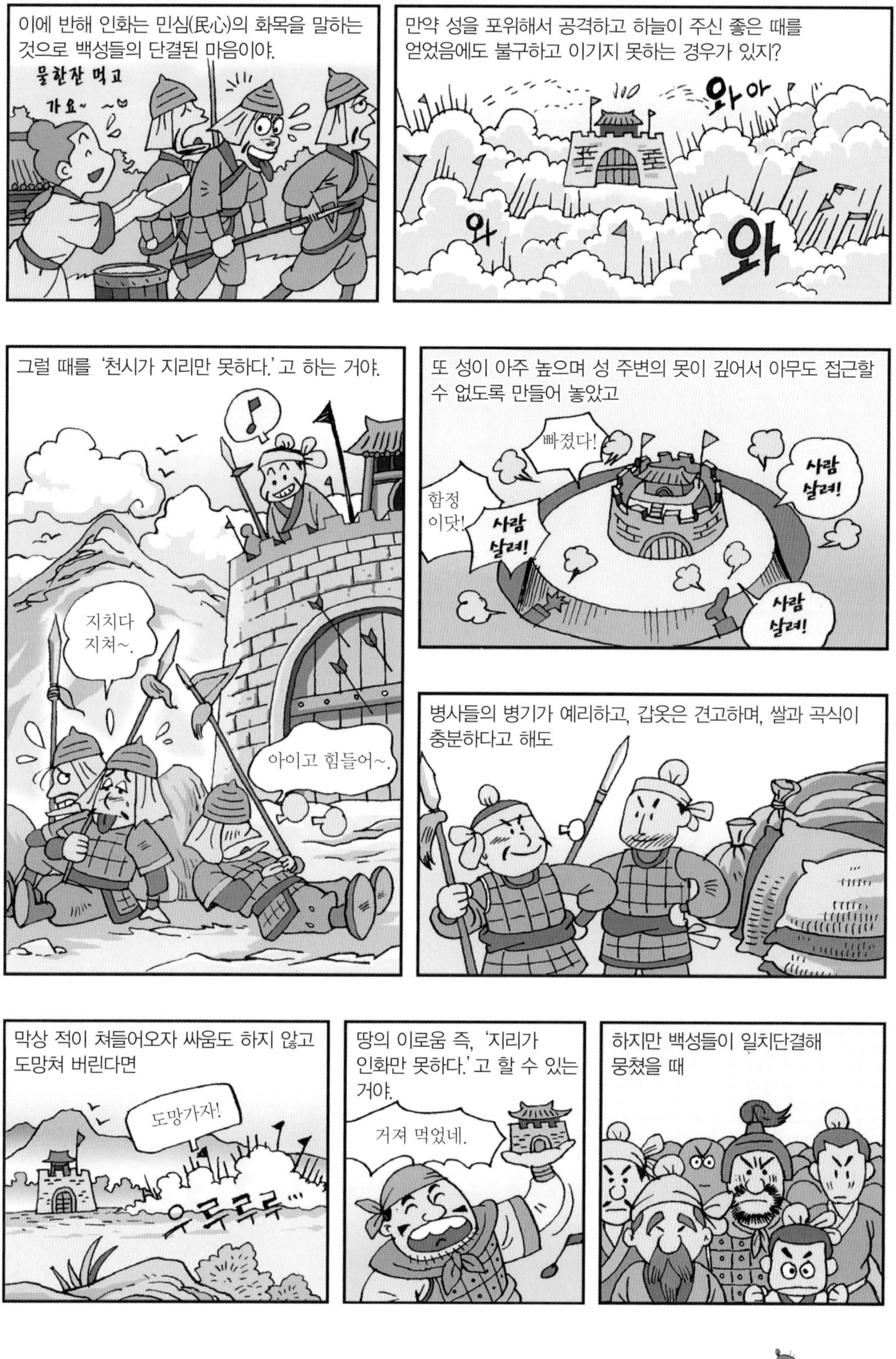
이에 반해 인화는 민심(民心)의 화목을 말하는 것으로 백성들의 단결된 마음이야.
물 한잔 먹고 가요~
만약 성을 포위해서 공격하고 하늘이 주신 좋은 때를 얻었음에도 불구하고 이기지 못하는 경우가 있지?
와아
와
와
그럴 때를 '천시가 지리만 못하다.' 고 하는 거야.
지치다 지쳐~.
아이고 힘들어~.
또 성이 아주 높으며 성 주변의 못이 깊어서 아무도 접근할 수 없도록 만들어 놓았고
빠졌다!
함정이닷!
사람 살려!
사람 살려!
사람 살려!
병사들의 병기가 예리하고, 갑옷은 견고하며, 쌀과 곡식이 충분하다고 해도
막상 적이 쳐들어오자 싸움도 하지 않고 도망쳐 버린다면
도망가자!
우르르르르…
땅의 이로움 즉, '지리가 인화만 못하다.' 고 할 수 있는 거야.
거져 먹었네.
하지만 백성들이 일치단결해 뭉쳤을 때

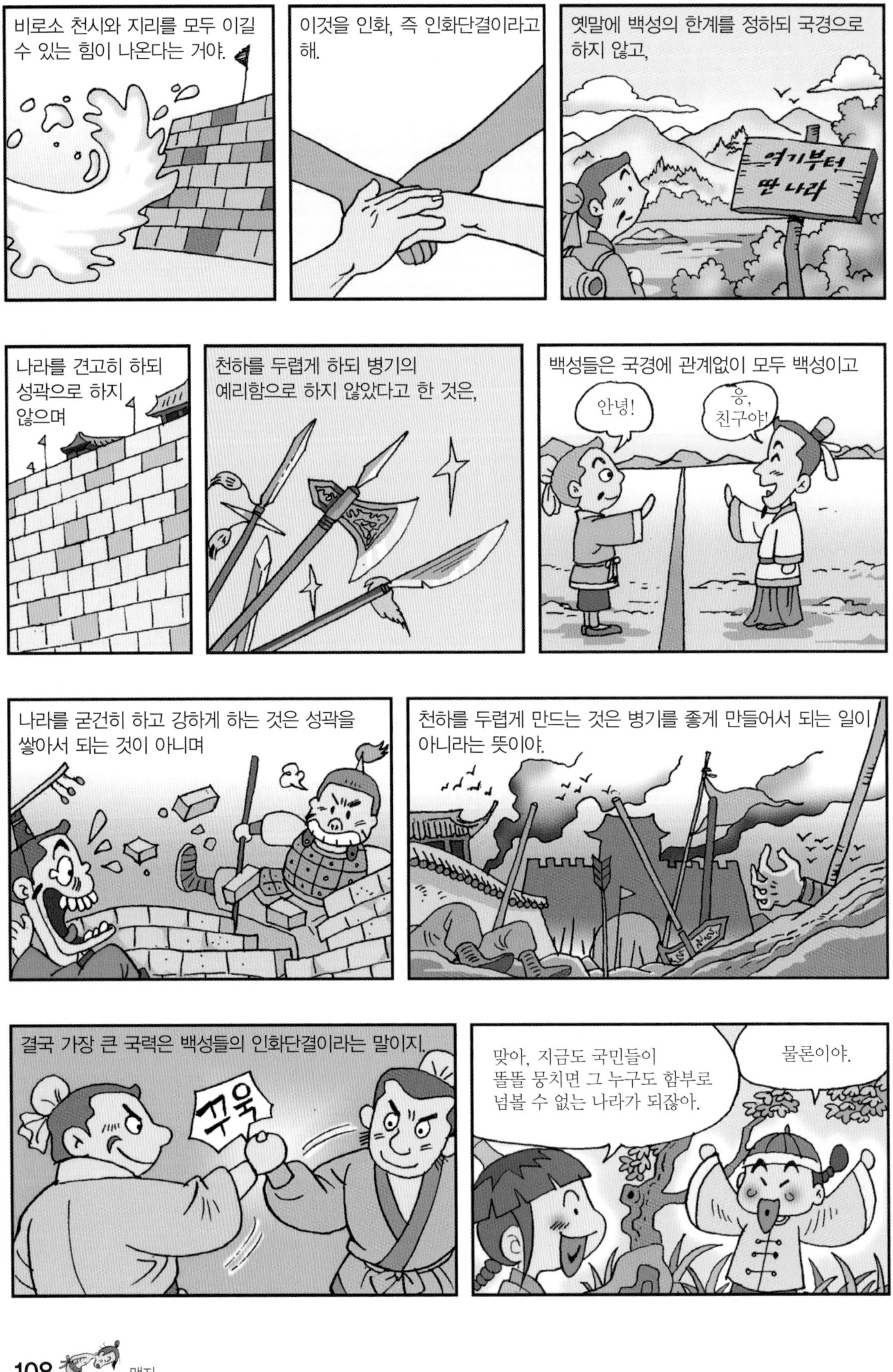
비로소 천시와 지리를 모두 이길 수 있는 힘이 나온다는 거야.
이것을 인화, 즉 인화단결이라고 해.
옛말에 백성의 한계를 정하되 국경으로 하지 않고,
여기부터 딴 나라
나라를 견고히 하되 성곽으로 하지 않으며
천하를 두렵게 하되 병기의 예리함으로 하지 않았다고 한 것은,
백성들은 국경에 관계없이 모두 백성이고
안녕!
응, 친구야!
나라를 굳건히 하고 강하게 하는 것은 성곽을 쌓아서 되는 것이 아니며
천하를 두렵게 만드는 것은 병기를 좋게 만들어서 되는 일이 아니라는 뜻이야.
결국 가장 큰 국력은 백성들의 인화단결이라는 말이지.
꾸욱
맞아, 지금도 국민들이 똘똘 뭉치면 그 누구도 함부로 넘볼 수 없는 나라가 되잖아.
물론이야.

2) 도리에 어긋나는 행실을 하지 않습니다.
맹자는 군자의 행실이 너무 깨끗해도 그 도리가 좁아지고
행실이 간략하고 거만해도 공경하지 못하니, 군자의 핵심은 나아감과 물러남을 도로 행해야 한다고 했어.
그리고 백이와 유하혜의 예를 들어 그 이유를 설명했어.
백이는 알겠는데 유하혜는 누구야?
노나라 사람인데, 본명은 전금이야.
벼슬이 대부였는데 유하(柳下)에 살았고 시호를 혜(惠)라 했어.
그래서 유하혜!
시호라는 것은 그 사람이 살아 있을 때의 공덕이 뛰어나 칭송하기 위해, 그가 죽은 뒤에 임금이 내린 칭호지.
감사!
맹자는 백이가 너무 깨끗한 탓에 군자의 도리가 좁았으며
유하혜는 군자의 행실이 공경치 못하다고 했지.
밥 사줘.
~잉

백이는 자신이 섬길 만한 군주가 아니면 섬기지 않았고
내 스타일이 아냐.
휙
벗할 만한 사람이 아니면 벗하지 않았으며
난 외롭지 않아….
휘이이잉
악한 사람의 편에 서지 않았고
내 알 바 아냐!
투다닥
툭탁
꽈광
퍽
같이 말도 하지 않았기 때문에 군자의 행실로는 좁다고 표현한 거야.
….
유하혜는 더러운 군주를 섬기는 데에 부끄러워하지 않았으며
꾸벅
작은 벼슬도 낮게 여기지 않아 그 도리를 다했대.
열심
열심
유하혜 사무실
설사 벼슬길에서 버림받아도 원망하지 않았으며
파직!
제가 부족한 탓에….
곤궁한 일을 당해도 근심하지 않았다는 거야.
그는 늘 이렇게 말했대.
너는 너이고, 나는 나이니 너희들이 어찌 나를 더럽힐 수 있으랴?
그리고 벼슬을 하러 떠나려 하다가도 누가 붙잡으면 머물렀다는 거야.
붙잡으시니 좀 더 있다 가겠습니다.
?

맹자는 유하혜의 이런 태도를 두고, 군자의 행실로써 바르지 못하다고 했어.
맘에 안 들어!
내가 뭘?!
떠나려 하다가도 누가 붙잡으면 멈췄기에 간략하고 거만함이 있다고 본 거지.
누군가 나를 필요로 한다면
와!
도와줘~
백이의 좁음과 유하혜의 바르지 못함!
가야 되는데….
도와줘!
좁은 골목
맹자는 이 두 가지 모두 군자가 행하면 안 되는 행실이라고 했어.
그래서 맹자는 앞서 말한 것처럼 공자의 도를 배우고자 한 거야.
도(道)를 아느냐?
벼슬을 할 만하면 하고, 그만둘 만하면 그만두며
휙
안 해!
오래 머물 만하면 오래 머물고, 빨리 떠날 만하면 빨리 떠나는 것이 바로 공자였거든.
월급 올려 줄게~
싫어!
지나쳐도 안 되고 모자라도 안 되고….
군자의 길이 쉬운 게 아니지?

3) 모든 것은 과인의 죄입니다.
어느 날 맹자는 제나라 땅 평륙이라는 고을에 갔어.
가서 보니 백성들이 아주 힘들게 살고 있었어.
풀죽도 없으니….
앙~ 배고파
밥줘
이를 보고 맹자는 그 고을을 다스리는 대부(大夫)를 찾아갔어.
똑똑
大夫
그리고 "그대는 창을 잡은 전사가 하루에 세 번 대오를 이탈하면
쉬 마려….
그 전사를 버리겠는가? 아니면 그대로 두겠는가?" 하고 물었어.
음….
대부는 "세 번까지 기다리지 않고 바로 죽입니다!"라고 답했어.
쳐라!
맹자는 기다렸다는 듯
그렇다면 그대가 대오를 많이 이탈했도다!
맹자의 꾸짖음에 대부가 깜짝 놀라 분노하며 왜 그런지 말해 달라고 했어.

맹자는 대부의 실정(失政)을 자세히 말했어.
흥분 말고 잘 들어!
씩씩씩
'실정' 이란 정치를 잘못하는 것을 말해.
그대의 백성 중에 노약자들은 이리저리 떠돌다가
갈 곳이 없구나…
굶어 죽어 시신들이 여기저기 나뒹굴고 있고
장성한 사람들은 뿔뿔이 흩어져 사방으로 떠나가는 자들이 몇 천 명이나 되는지 아는가?
여긴 희망이 없어!
떠나자!
살길을 찾아 떠나야 해.
이 물음에 대부가 답하길 "알고는 있지만 그것은 자기 힘으로 할 수 있는 게 아니다."고 변명하듯 말하며
변명
변명
변명
모든 책임이 왕이 정치를 잘못하여 그렇다고 주장했어.
쟤네가 똑바로 해야….
맹자가 비유해서 말하길
지금 소와 양들의 가축을 받아서 주인을 대신해 길러 주는 사람이 있다면
잘 길러.
예.
그는 주인을 위해 목장과 꼴을 구해야 하는가, 아니면

목장과 꼴을 구하다가 얻지 못하면, 주인에게 되돌려 줘야 하는가?
못 기르겠어요!
뭐라고?
아니면 가축들이 죽는 것을 보고만 있어야 하는가?
밥줘!
굶어 죽겠어!
하니 대부가 맹자의 말을 알아듣고 엎드려 사죄했어.
털썩
꼴이란 말이나 소에게 먹이는 풀을 말하지?
맞아.
그후 맹자가 돌아와 제나라의 왕을 만나
자신이 둘러본 대부들에 대해 낱낱이 말하길
왕의 도읍을 다스리는 대부 중에 다섯 사람을 제가 알고 있습니다.
그중 본인의 죄를 알고 있는 사람은 오직 한 사람뿐이었습니다.
사죄했으니 가자.
......
그래.
맹자는 대부의 일을 비유로 들어 왕의 잘못을 깨우치고자 한 거였지.
!
왕은 그 뜻을 알아차리고 말했어.
모든 것은 과인의 죄입니다!
그제서야 맹자는 웃으며 물러 나왔어.

4) 내 어버이의 장례를 박(薄)하게 하지 않는다.
맹자가 제나라에 머물 때 그토록 사모하던 어머님이 돌아가셨어.
맹자는 노나라로 돌아와 어머님의 장례를 잘 지내고
아이고~ 아이고~
다시 제나라로 돌아가는 길에 영 땅이라는 곳에 잠시 머물렀어.
영 땅에는 맹자의 제자 충우가 관 만드는 일을 감독하고 있었지.
충우가 맹자한테 물었어.
예전에 저에게 목수 일을 맡기셨는데
그때 제가 감히 선생님께 묻지 못한 것이 있어서 지금 삼가 묻기를 청합니다.
그때는 관을 만드는 나무가 너무 아름다운 듯했는데, 왜 그런 것인지요?
와~
맹자가 답하길
예전에는 관의 규격 같은 것이 없었는데

주공께서 예를 만든 뒤 관을 만들 때도 규격을 맞춰서 하니
가로 세로를 정확히.
천자에서 백성에 이르기까지 관이 모두 같은 규격으로 정해졌다.
규격이 안 맞아.
이것은 보기에만 아름답게 만드려는 게 아니라
와~
멋지다!
훌륭해!
돌아가신 분들을 위해 최소한 이렇게 한 뒤에 사람으로서 마음을 다하는 것이라고 생각했기 때문이다.
돌아가신 분을 위해 흙이 살갗에 닿지 않도록 해야 마음이 흡족하지 않겠는가?
근데… 답답해.
돌아가신 분을 위해 자식이 최소한의 도리를 다해야 한다며
아버님!
흑흑….
진정한 군자는 천하의 일 때문에 부모님의 장례를 소홀하게 치르지 않는다고 했어.
적군이 몰려옵니다.
장례부터 치르고….
돌아가신 부모님을 위해 최대한 정성스럽게 장례를 해야 한다는 뜻이지.
예를 만든 주공은 BC 11세기 무렵 중국 주왕조의 개국공신이며 문왕의 아들로, 이름은 단이야.
旦
무왕을 도와 은나라를 멸망시켰어.
싹
뚝

5) 죽어서는
장례로
예를 갖춥니다.
맹자의 나이 47세 때쯤, 제나라를 떠나 송나라로 갔다가
다다다닥
송나라
이듬해 다시 추나라로 돌아와 제자들을 가르치는 데 힘쓰고 있을 때였어.
또다다다닥…
이웃에 있는 등나라의 정공이 갑자기 죽자
꼴깍
그의 아들인 세자가 평소 글을 배우던 사부인 연우에게 이렇게 청했어.
사부님께서
지금 맹자를
만나 뵙고
장례에 관한 일에 대해 여쭌 뒤에 그 뜻에 따라 장례를 하고자 합니다.
이에 연우는 곧장 추나라로 달려가 맹자를 찾아가
추나라
장례에 관한 예를 물으니 맹자가 대답했어.
부모의 초상은 자식의 마음으로 다해야 하는 것이다.

증자(曾子)가 말씀하시기를 "살 아서 섬기기를 예(禮)로 하며
효자 아들
부럽다!
죽어서는 장례하기를 예로 하며
돌아가신 날을 잊지 않고 기억하여 제사하기를 예로 하면 효도한다고 할 수있다." 라고 하셨다.
제삿날 26일
맹자의 대답을 들은 연우가 등나라로 돌아와 세자에게 들은 대로 말하니
세자가 삼년상을 정해 아버지 장례를 치르기로 했어.
그런데 조정의 문무백관들 모두 세자가 행하고자 하는 삼년상을 반대했어.
상례와 제례는 등나라 관습을 따릅니다!
세자는 강력하게 반대하는 백관들의 뜻을 물리칠 수 없어서
반대
반대
일단은 백관들의 뜻을 받아들여 장례 일을 며칠 미루었어.

그리고 다시 연우를 시켜 맹자에게 이런 상황을 해결할 수 있는 방법을 물었지.
바쁘다
바빠
추나라로 다시 찾아온 연우에게 맹자가 말하기를
옛날 공자께서는 임금이 죽으면
모든 정사(政事)를 6경의 우두머리인 총재에게 맡기고
알아서 하세요!
세자가 죽을 끓여 먹고 아버지의 죽음을 슬퍼하니
아이고~ 아이고~
백관과 신하들 모두 슬퍼하지 않을 수 없었다고 했다.
아 아이 이 고 고
정사란 나라를 다스리는 일을 말해.
그리고 육경이라는 것은 육조판서(六曹判書)를 통틀어 일컫는 명칭으로
이조 · 호조 · 예조 · 병조 · 형조 · 공조 등 육조의 판서를 말하는 거야.

등나라로 돌아온 연우는 세자에게
맹자의 말을 들려주었어.
세자는 "모든 것이 나에게 달려 있다!" 하고 5개월 동안 띠풀 집을
짓고
그 안에서 살며 정치에는 일절 관여하지 않고
돌아가신 어버이에게 예를 다했어.
대단한
분이야.
보기 드문
인물이야.
그렇게 하자 백관들이 하나씩 모여들어
말하기를
우리 세자께서는
예를 아신다!
자식이 어버이에게 효성을 다한다는 것에 감탄해
모두가 그의 뜻을 따르기로 했으며
감동이야….
응!
사방에서 조문하는 사람들도 이와 같은
모습을 보고 크게 기뻐했어.
와글
와글
줄을 서시오~!
예와 정성을 다해 부친의 장례를
치르는 세자의 모습을
보고 들었던 자들 모두
칭송했다고 해.
감동이야!!

옛날이나 지금이나 부모님이 돌아가시면
아이고..
예를 다해 후하게 장례를 지내는 것은 바로 이런 까닭일 거야.
맹자는 "살아 있는 사람을 봉양하는 것은 대사(大事)에 해당될 수 없고
오직 죽은 사람을 장례하여 떠나 보내드리는 일은 대사에 해당될 수 있다."고 했어.
부모가 살아계실 때 그 자식이 부모를 사랑하고 공경해야 해.
그것은 사람의 도리로 떳떳함이야.
그리고 부모가 돌아가셨을 때 장례하여 보내드리는 일은
인도(人道)의 큰 변고(變故 : 재앙으로 생기는 사고)이니, 이것을 큰일로 여겨야 한다는 뜻이야.
아이고
아버님~
그래서 큰일을 정성껏 행하여 훗날 자식된 자로서 조금이나마 후회가 적게 남도록 한다는 뜻이 담겨 있지.

6) 떳떳하게 얻은 재산이 있어야 떳떳한 마음이 생깁니다.
등나라 문공이 하루는 맹자에게 나라 다스리는 일에 대해 물었어.
어떻게 하면 나라를 잘 다스릴 수 있을까요?
맹자는 나라 안의 중요한 일 중 농사짓는 일은 느슨하게 할 수가 없다고 했어.
백성들이 열심히 농사일을 하여 땀 흘려 얻은 재산이 있어야 떳떳한 마음이 생긴다는 것이지.
거짓없이 땀 흘려 얻은 재화야말로 떳떳한 재산이라는 얘기지.
만약 땀 흘려 모은 재산이 아니라면 정정당당해지려는 마음이 없어져서
결국 방탕해지거나 사치하게 된다고 했어.
부어라~ 마셔라~
그러므로 항상 백성들을 잘 보살펴서
백성들이 떳떳하지 못한 마음이 생길까 두려워해야 한다는 거야.

백성들이 땀 흘려 일해 떳떳한 마음으로 생활할 수 있도록 정치를 펼쳐야 한다는 뜻이지.
어진 사람이 높은 지위에서 올바르게 나랏일을 본다면
세금을 팍 줄여라!
예이~
백성들도 떳떳한 마음으로 살아갈 방법을 찾을 거야.
어진 군주는 군자의 도를 가지고 백성을 다스리며 공손하고 또 겸손하여
백성들의 일할 시기를 늦추지 않기 때문이지.
일하자~
즐겁게~
그러면 백성들이 때에 맞춰 씨를 뿌릴 수 있고 알찬 곡식을 거두어 편안히 먹고살 수 있게 될 거야.
이렇게 땀 흘려 정당한 재산을 모을 수 있게 되면 누구나 떳떳한 마음을 지니며 살아갈 수 있지 않겠어!
쩝… 아침에 주운 돈, 주인 찾아줘야겠네.
잘 생각했어. 남의 것으로는 떳떳한 마음이 생기지 않지.

7) 나아가고 멈추는 것은 누가 시킬 수 있는 것이 아닙니다.
노(魯)나라 평공이 외출하려고 할 때 총애하는 신하 장창이 어디로 가는지 물었어.
평공은 맹자를 만나러 간다고 대답했지.
!
장창은 왜 왕이 먼저 필부를 찾아가 몸을 숙여 예의를 베푸느냐며 반대했어.
그리고 맹자는 아버지 초상보다 어머니 초상을 더욱 성대하게 했으니
엄마!
첫
예의 바른 분이 아니라며 맹자를 만나지 말라고 했어.
.....
평공은 장창의 말이 그럴 듯해 맹자를 만나지 않기로 했지.
알았어!
얼마 후 맹자의 제자 중 악정자(樂正子)가 평공을 만나
"왕께서는 어찌하여 저희 스승님을 만나시는 약속을 취소했습니까?" 하고 물었어.
평공이 이렇게 대답했어.
어떤 사람이 내게 말하기를

맹자께서 초상을 치를 때 아버지의 초상 때보다도 어머니의 초상을 더욱 후하게 치렀다고 하기에 이 때문에 찾아가지 않았노라.
악정자는 잘 이해가 되지 않는 듯 다시 물었지.
어머니 초상을 후하게 치렀다는 것은
저의 스승님께서 아버님 초상은 선비의 예절로 하고, 어머님 초상은 대부의 예절로 했단 말입니까?
즉 아버지보다 어머니의 장례를 더 큰 예절로 치렀냐는 물음이었지.
평공은 아니라고 대답했어.
NO
악정자가 다시 "초상시 재물(財物)의 차이가 많이 나서입니까?"라고 물었지만 평공은 그 때문도 아니라고 했어.
그리고 그런 문제보다 초상시 사용하는 관곽(棺槨)과 수의(壽衣)에서 차이가 나서 그렇다고 대답했어.
그제서야 악정자가 평공에게 말했어.
아닙니다! 어머님의 초상을 더 후하게 치렀던 것은 빈부(貧富)가 같지 않았기 때문입니다.
즉 아버님과 어머님의 초상을 치를 때 맹자의 생활 형편이 달라서 차이가 났을 뿐이라고 말한 거야.

악정자는 맹자에게 평공을 만나 나눈 얘기를 했어.
평공이 총애하는 신하 장창이 맹자를 못 만나게 하여 끝내 왕께서 오시지 않았다고 말이야.
NO!
이 얘기를 들은 맹자는
길을 가는 것은 누가 시켰기 때문이며,
멈추는 것 또한 혹 누가 저지해서이다. 그러나 자신이 나아가고 멈추는 것은 누가 시킬 수 있는 것이 아니다.
내가 노나라 평공을 만나지 못함은 하늘의 뜻이라고 생각하니, 장창이 어찌 나로 하여금 평공을 만나지 못하게 했다고 할 수 있겠는가.
성인(聖人)의 나아감은 시운(時運)의 성쇠(盛衰)에 관계되는 것이라, 때가 흥하면 나아가고
때가 흥하지 않으면 물러나니, 이를 천명이라 하니,
사람의 힘으로 어찌할 수 없는 것이라고 했어.
시운은 때의 운수이며, 성쇠는 성함과 쇠약함을 뜻하는 말이야.

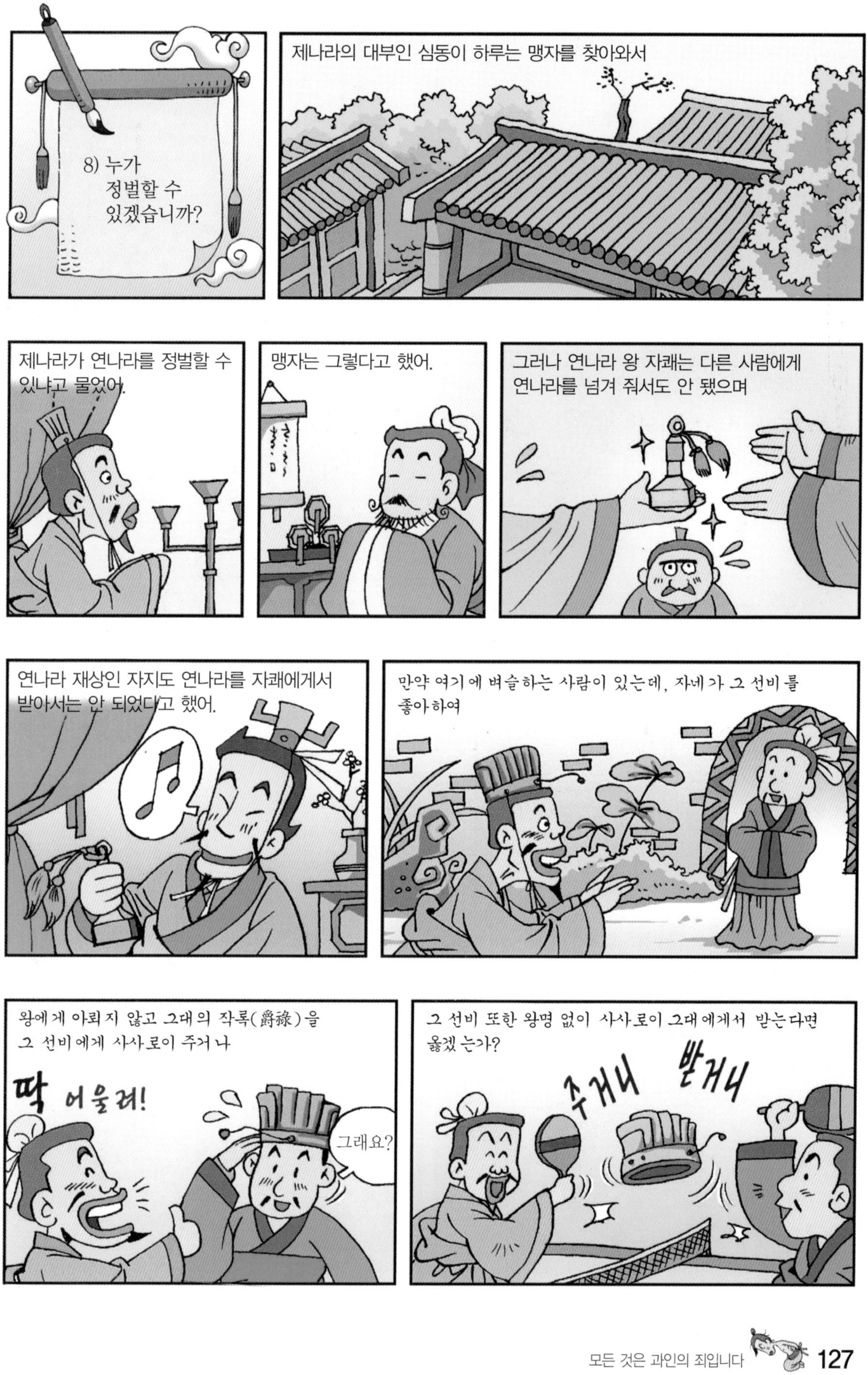
8) 누가
정벌할 수
있겠습니까?
제나라의 대부인 심동이 하루는 맹자를 찾아와서
제나라가 연나라를 정벌할 수 있냐고 물었어.
맹자는 그렇다고 했어.
그러나 연나라 왕 자쾌는 다른 사람에게 연나라를 넘겨 줘서도 안 됐으며
연나라 재상인 자지도 연나라를 자쾌에게서 받아서는 안 되었다고 했어.
만약 여기에 벼슬하는 사람이 있는데, 자네가 그 선비를 좋아하여
왕에게 아뢰지 않고 그대의 작록(爵祿)을 그 선비에게 사사로이 주거나
딱 어울려!
그래요?
그 선비 또한 왕명 없이 사사로이 그대에게서 받는다면 옳겠는가?
주거니 받거니

자쾌가 자지에게 연나라를 물려준 것이 어찌 이와 다르겠는가?
가져!
정말?!
당시 제후가 토지와 백성을 물려받으려면 천자(天子)의 승낙을 받아야 해.
천자
그러므로 자쾌가 자지에게 연나라를 물려준 것은 사사로이 준 것이 되기 때문에 모두 죄가 되는 거야.
얼마 뒤 제나라가 연나라를 정벌하자 어떤 사람이 맹자에게 제나라 왕에게 권하여 연나라를 치게 했냐고 물었어.
맹자는 아니라고 하며
심동이 "연나라를 정벌할 수 있습니까?" 하고 묻기에, 내가 "그렇다!" 했더니
저 사람이 내 말을 옳게 여겨 정벌한 것이다.
……
제
연나라
저 사람이 만일 "누가 정벌할 수 있겠습니까?" 하고 물었더라면
연

나는 "천리(天吏)가 되면 정벌할 수 있다!" 고 대답했을 것이다.
합!
뚝!
천리란 하늘의 도리를 잘 지키는 덕망 있는 사람이라는 뜻이야.
만일 제나라 왕이 연나라 군주를 벌하고 그 백성을 위로했다면 어찌 가능하지 않았겠는가?
이제는 염려하지 마쇼!
그러나 제나라 군사들이 연나라 부형을 죽이고 그 자제들을 포로로 잡으니 연나라 백성들이 등을 돌렸어.
모조리 죽여!
맹자는 제나라의 무도함이 연나라와 다름이 없으니
이는 연나라로 연나라를 정벌함과 다를 바가 없다고 했어.
나쁜 놈!
누가 할 소리!!
씩
씩
씩
씩
그후 제나라가 연나라를 격파한 지 2년 만에 연나라 사람들이 태자 평을 왕으로 삼고, 나라의 힘을 길러 제나라로 쳐들어가서 앙갚음을 했다고 해!

제8장 백성들도 어질지 못하면 팔다리를 보전할 수 없습니다

1) 사랑에는
차등이
있습니다.

옛날에 학문의 도를 이룬 여러 학파가 있었는데 도가, 음양가, 법가, 명가, 묵가

그리고 공자, 맹자의 유가 등 여섯 학파를 육가라 불렀어.

이 외에 종횡가, 잡가, 농가, 시부가, 병가, 수술가, 방기가 등의 학파가 있었지.
종횡가
잡가
농가
시부가

이처럼 다양한 학파들의 등장을 가리켜
제자백가라고 해.
諸子百家
와!
앞서 얘기한 육가 중 묵가는 묵적이란 사람을 중심으로 생겼는데
묵가
오~!
묵자의 주된 사상은 나와 남을 구별하지 않고
평등하게 사랑하는 것이 하늘의 뜻이라는 거였어.
평등
이런 주장을 가리켜
겸애설이라고 하지.
묵가
그리고 묵자의 겸애설을 따르는
제자들을 묵가들이라고 불렀어.
으흠! 밥 묵자!
어느 날 묵가의 도를 배운 이지라는 사람이 맹자의
제자 서벽을 통해 맹자를 보고자 했어.
하지만 맹자는 군자도 부모도 구별 없는 무차별한 사랑은
짐승의 사랑과 다를 바가 없다고 비난하며 묵가들을
배격했다고 해.
....
싫어!
그래서 서벽에게 일러 후일 다시
오라고 하고 돌려보냈어.
며칠 뒤 이지가 다시 찾아와
만나기를 청했어.
서벽은 이지를 바깥에 세워두고
맹자에게 이지가 왔음을 알렸지.

맹자는 서벽에게 말하길
듣자 하니 묵가들은….
부모의 장례를 후하게 하지 않는 것을 도로 삼는다고 들었는데,
내가 알아보니 이지라는 자는 묵가이지만, 아버지의 장례만은 후하게 지냈다 하니
와글
와글
이는 천(賤)하게 여기는 것으로써 어버이를 섬기는 것이라고 했어.
천(賤)하다!
서벽이 잘 이해가 되지 않아 고개를 갸우뚱거리자 맹자는 옛날에 있었던 일을 얘기했어.
자세히 좀….
상고 시대에 일찍이 어버이를 장례하지 않은 사람이 있었어.
……
그 어버이가 죽자 시신을 구렁텅이에 버렸지.
훗날 그곳을 지날 때 보니 동물들이 시신을 파먹고 벌레들이 빨아먹고 있는 거야.
그는 진땀이 나서 차마 똑바로 쳐다보지 못했어.
아….
진땀이 났던 이유는 남들이 자신을 쳐다보는 것 때문이 아니었어.
바로 마음에 부끄러움이 가득했기 때문이었어.
부끄럽도다.

그는 집으로 돌아와 삼태기를 들고 흙을 담아가서 시신을 엄폐했는데
툭
툭
부모와 자식 간의 정(情)으로 이렇게 엄폐해서 되겠니?
최소한 자식으로 반드시 도리가 있어야 하지 않겠니?
맹자는 효자와 어진 사람이 어버이의 시신을 엄폐할 때는 반드시 도리가 있기에, 정성을 다해 후하게 장례를 치른다고 했어.
서벽이 스승의 말을 이지에게 들려주었어.
!
한동안 묵묵히 생각하던 이지는
맹자께서 진실로 나를 가르쳐 주셨다.
맹자가 사는 곳을 향해 머리를 조아리고 돌아갔어.
꾸벅
맹자는 평소 마음가짐과 행동이 일치하지 않으면 천(賤)하게 된다는 것을 가르친 거지만
행복 하세요.
너의 불행이 나의 행복이다.
묵가의 도가 올바르지 않다는 것을 깨우쳐 주려는 뜻도 있었던 것 같아.
墨家

2) 대장부는 인, 예, 의로써 행동해야 합니다.
어느 날 경춘이라는 사람이 맹자에게 묻기를
위나라의 공손연과 장의는 진실로 대장부가 아니냐고 물었어.
맹자는 무엇 때문에 그러한지 물었어.
왜?
그들이 한번 화를 내면 주변의 제후들이 두려워하고
화
가만히 있으면 천하가 조용하기 때문이라고 답했어.
맹자는 어찌 그런 사람을 대장부라 할 수 있겠냐며 웃었지.
하하하
맹자는 천하의 넓은 집에 머물며
천하의 바른 자리에 서서 천하의 법도를 실천해 벼슬을 얻으면 백성과 함께 법도를 실천하고

벼슬을 얻지 못하면 홀로 그 법도를 실천해야 한다고 했어.
부(富)하고 귀(貴)한 것이 마음을 방탕하게 하지 못하고
3차 갈까?
쯧 쯧
빈천(貧賤)이 절개를 꺾지 못하게 하며
자존심이 밥 먹여 줘?
위협이나 무력이 지조를 무너뜨릴 수 없는 사람이 바로 대장부라고 한다고 했어.
이에 고춧가루가 꼈네
!
천하의 넓은 집이란 어진 마음을 갖는 것이고
천하의 바른 자리란 예를 갖춘다는 뜻이니
곧 천하의 대도(大道)라는 것은 인(仁)과 의(義)를 실천한다는 뜻이지.
仁
義
그러므로 대장부란 천하의 큰 도를 실천하기 위해 인, 의, 예로써 행동하는 사람을 말하는 거야.
仁
義

3) 왕도 정치 하는 것을 싫어해서 정벌하면 어찌합니까?
제자 만장(萬章)이 맹자에게 물었어.
스승님! 송나라는 작은 나라입니다.
이제 송나라가 왕도 정치를 하려고 하는데
왕도 정치
이웃에 있는 강대국 제나라와 초나라가 왕도 정치 하는 것을 싫어하여
제
초
송나라를 정벌하면 어찌합니까?
그러자 맹자가 은나라 탕왕이 어떻게 정치를 했는지 알려 주었어.
탕왕이 박읍이라는 곳에 살 때, 갈나라와 이웃하고 있었는데
갈나라의 임금 갈백은 방탕해 놀기를 좋아하고 제사를 지내지 않았어.
얘들아, 노올자~
탕왕이 사람을 시켜 갈백에게 제사를 지내지 않은 까닭을 묻자, 재물이 없어 제사를 지내지 못한다고 했어.
돈이 없어서.

탕왕이 곧바로 재물을 보내 주었지만, 갈백은 그 재물을 꿀꺽해 버렸던 거야.
꿀꺽!
탕왕이 또다시 사람을 시켜 제사를 지내지 않은 이유를 묻자
왜?
이번에는 기장이 없다고 했어.
조, 수수, 기장과 같은 곡식이 없어!
쌀
탕왕이 사람을 보내 기장을 생산할 수 있도록 밭을 갈아 주었어.
그러자 그곳에 사는 노인들이 기뻐하여 술과 밥을 가지고 사람들을 대접했던 거야.
갈백은 이를 못마땅하게 여겨 대접하는 음식을 빼앗아 버리고
어떤 어린아이가 자기 집에 있던 기장밥과 고기를 가지고 나와서 사람들에게 건네주며 하례하자
그 아이를 잡아 죽이고 음식을 빼앗아 버리는 만행까지 저질렀어.
이 소식을 들은 탕왕은 더 이상 참을 수 없다고 생각하고 군사를 일으켜 곧바로 갈나라를 정벌해 버렸지.
적당히 해야지!

어린아이까지 해칠 정도로 잔악한 군주를 벌하고자 했던 거야.
고마워요~♥
탕왕은 갈나라로부터 시작해 주변의 나라를 열한 번이나 정벌했는데 천하에 대적할 자가 없었어.
쭈우우우욱—!
오히려 동쪽을 정벌하러 가면 서쪽 나라의 백성들이 "왜 우리나라는 정벌하러 오지 않느냐!"며 원망할 정도였지.
너무한다
우리도 정벌당할 권리가 있다!
공격해 달라!
차별하지 말라!
천하의 백성들이 탕왕이 와서 나라를 정벌해 주길 바랐지. 마치 큰 가뭄에 비를 바라듯이 말이야.
언젠간 소원이 이루어질 거야 아들아…
맹자가 말하길, 만일 왕도 정치를 한다면
王政
천하의 백성들이 모두 머리를 들고서 오기를 바랄 것이고, 오면 군주로 삼을 것이니
제나라와 초나라가 비록 크다 하지만 어찌 두려워할 이유가 있겠냐고 했어.
야! 비켜!

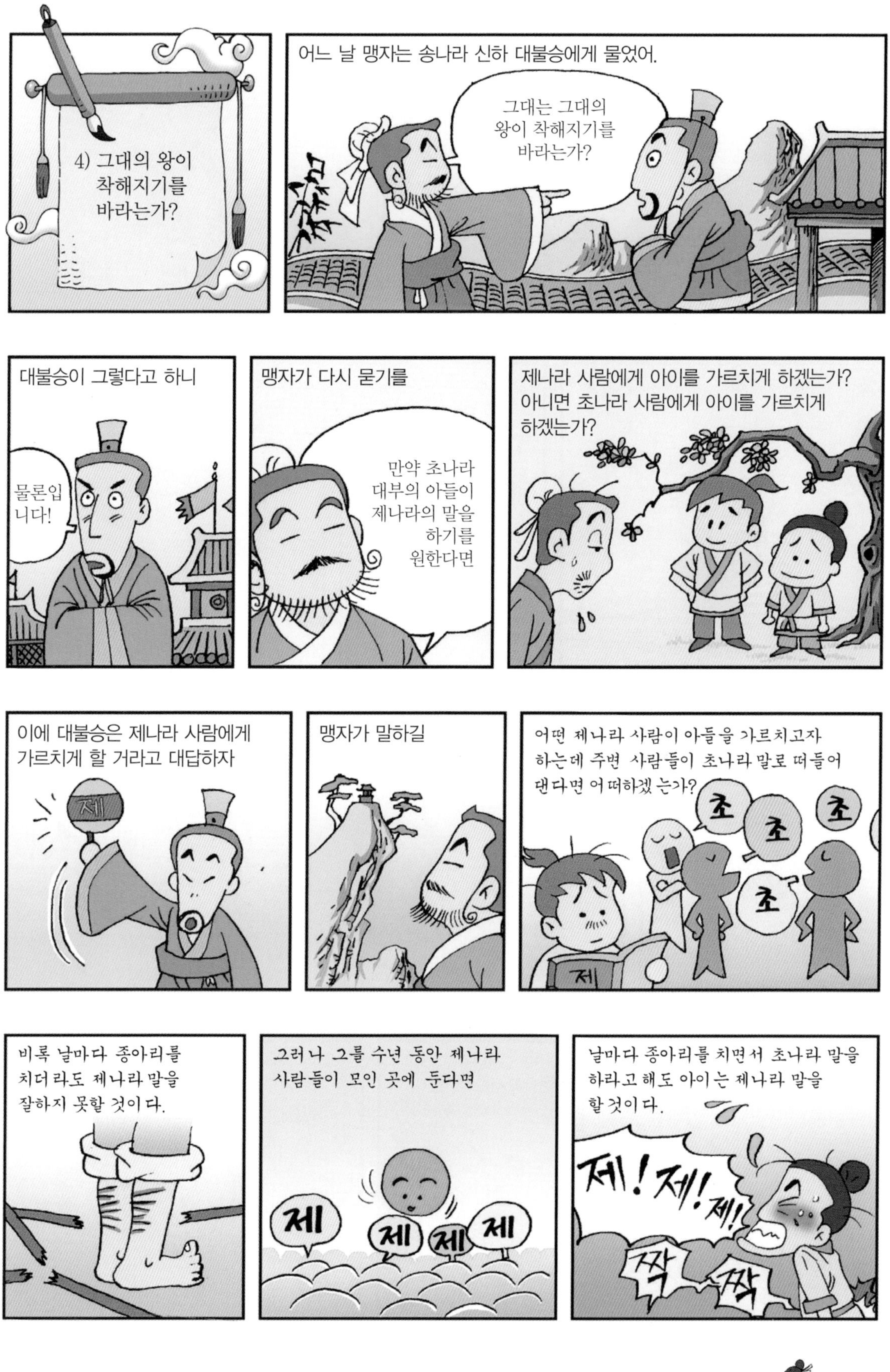
4) 그대의 왕이 착해지기를 바라는가?
어느 날 맹자는 송나라 신하 대불승에게 물었어.
그대는 그대의 왕이 착해지기를 바라는가?
대불승이 그렇다고 하니
물론입니다!
맹자가 다시 묻기를
만약 초나라 대부의 아들이 제나라의 말을 하기를 원한다면
제나라 사람에게 아이를 가르치게 하겠는가? 아니면 초나라 사람에게 아이를 가르치게 하겠는가?
이에 대불승은 제나라 사람에게 가르치게 할 거라고 대답하자
제
맹자가 말하길
어떤 제나라 사람이 아들을 가르치고자 하는데 주변 사람들이 초나라 말로 떠들어 댄다면 어떠하겠는가?
초
초
초
초
제
비록 날마다 종아리를 치더라도 제나라 말을 잘하지 못할 것이다.
그러나 그를 수년 동안 제나라 사람들이 모인 곳에 둔다면
제
제
제
제
날마다 종아리를 치면서 초나라 말을 하라고 해도 아이는 제나라 말을 할 것이다.
제! 제! 제!
짝
짝

이 말의 뜻은 사람이 착하게 되는 것은 한 사람의 영향으로 바뀌기가 쉽지 않지만
주위에 착한 사람이 모여 있으면 그가 착해지지 않으려고 해도 자연히 착해진다는 거야.
봉사활동 함께 할래?
아… 그래.
순자도 이렇게 말했어.
쑥이 삼대 밭에서 자라게 되면
떠받쳐 주지 않아도 곧게 자라며
흰 모래가 개펄 속에 있으면 모두 검게 된다고 말이야.
이 또한 착한 사람들이 모인 곳에 있으면 저절로 착해진다는 뜻이지.
괜찮아요
'근묵자흑'이라는 고사성어가 있어.
近墨者黑
먹을 가까이 하는 사람은 검게 된다는 뜻인데
사람은 늘 가까이 하는 사람의 영향을 받아서 변하게 된다는 얘기야.
나 이사 간다.
나도 갈래!
그럼 내가 착한 사람이 되려면 착한 사람들과 어울려야겠네.
그렇지.
멀리 갈 필요 없이 주변에서도 찾을 수 있어.
부모님에게 효도하고 선생님의 말씀을 잘 따르며 책을 많이 읽어 성현들의 말씀을 실천하는 것도 그중 하나지.
효자야!
아주 착해!
모범생이야.

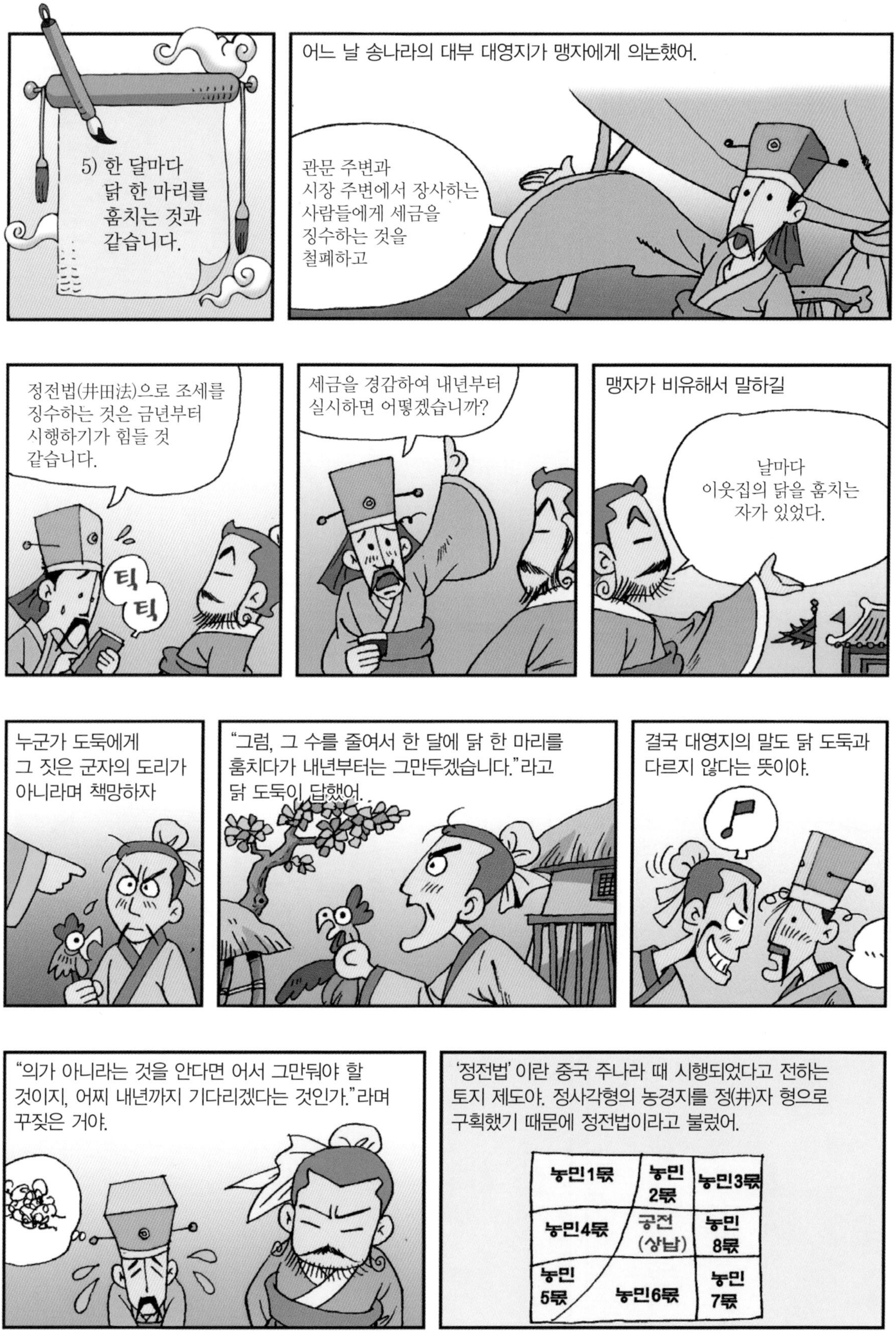
5) 한 달마다
닭 한 마리를
훔치는 것과
같습니다.
어느 날 송나라의 대부 대영지가 맹자에게 의논했어.
관문 주변과
시장 주변에서 장사하는
사람들에게 세금을
징수하는 것을
철폐하고
정전법(井田法)으로 조세를
징수하는 것은 금년부터
시행하기가 힘들 것
같습니다.
티
틱
세금을 경감하여 내년부터
실시하면 어떻겠습니까?
맹자가 비유해서 말하길
날마다
이웃집의 닭을 훔치는
자가 있었다.
누군가 도둑에게
그 짓은 군자의 도리가
아니라며 책망하자
"그럼, 그 수를 줄여서 한 달에 닭 한 마리를
훔치다가 내년부터는 그만두겠습니다."라고
닭 도둑이 답했어.
결국 대영지의 말도 닭 도둑과
다르지 않다는 뜻이야.
"의가 아니라는 것을 안다면 어서 그만둬야 할
것이지, 어찌 내년까지 기다리겠다는 것인가."라며
꾸짖은 거야.
'정전법'이란 중국 주나라 때 시행되었다고 전하는
토지 제도야. 정사각형의 농경지를 정(井)자 형으로
구획했기 때문에 정전법이라고 불렀어.
농민1묶
농민
2묶
농민3묶
농민4묶
공전
(상납)
농민
8묶
농민
5묶
농민6묶
농민
7묶

6) 백성들도 어질지 못하면 팔다리를 보전 할 수 없습니다.
맹자가 어짐과 어질지 못함 즉, 인(仁)과 불인(不仁)에 대해 가르쳤어.
옛날 하나라 우왕과 은나라 탕왕과 주나라의 문왕과 무왕이
어질었기 때문에 천하를 얻을 수 있었다고 했어.
반대로 천하를 잃은 것은 군주가 어질지 못했기 때문이었는데
무서워!
하나라 걸왕과 은나라의 주왕, 그리고 주나라의 유왕과 려왕 들이 그랬어.
걸왕
주왕
유왕
맹자는 평소 군주들에게 강조했어.
밑줄 쫙!
천자(天子)가 어질게 행동하지 못하면 천하의 땅을 보전하지 못하고

그 밑의 제후가 어질게 행동하지 못하면 사직을 보전하지 못하며
그 밑의 경대부가 어질게 행동하지 못하면 종묘를 보전할 수 없다고 했어.
한잔혀~
딸꾹
또 천하의 백성들도 어질지 못하면 팔다리를 보전하기가 어렵다고 했지.
사람들은 자신들이 죽고 망하는 것을 싫어하면서도 어질게 행동하지 않으니
부끄…
이것은 취하기 싫으면서도 술을 억지로 마시는 것과 같다고 했어.
안 취했어 ~딸꾹!
술독
인(仁)하다는 것은 어짐을 나타내는 것으로, 결국 자신의 욕심을 버리고 남을 사랑한다는 뜻이야.
仁
지위가 높고 낮음을 떠나 자기 욕심을 버리고 남을 먼저 생각하는 마음을 가져야 한다는 거지.
사직(社稷)은 옛날 천자나 제후들이 단을 세워 제사를 지내는 제단을 말하고
종묘(宗廟)는 역대 돌아가신 여러 왕들의 위패를 모시는 왕실의 사당 같은 거야.

7) 의로움이 없으면 떠나 갑니다.
맹자가 제나라에 오래 있었으나 도가 행해지지 않으므로 떠나가려고 했어.
왕이 맹자를 찾아와 부탁했어.
지난날 여러 번 뵙기를 청하여
어렵게 저희 제나라로 모시게 되어 조정에 있는 사람들이 모두 기뻐했습니다.
그런데 이제 또다시 과인을 버리고 되돌아가시다니요.
이후로도 선생님을 뵐 수 있겠습니까?
맹자는 "왕께서 뵙자고 하기를 진실로 원합니다." 라고 답한 후 떠났어.
그후 제나라 왕이 신하 시자에게 말하길
내 도성에다가 맹자에게 집을 지어 주고
만 종(萬鍾)의 녹을 주며 제자들을 길러 주기를 부탁해서
만 종
대부들과 국민들로 하여금 모두 그를 공경하게 하고
존경스런 분!
대단한 분!
위대한 분!

또한 법도를 받들려고 한다 하니
시자가 곧바로 맹자의 제자 진진을 찾아가 맹자에게 왕의 뜻을 아뢰게 했어.
얘기를 다 듣고 난 맹자는
시자가 어찌 나의 마음을 알겠는가.
내가 부자가 되고 싶었으면 일전에 십만 종의 재물을 사양하지 않고 받았지
어찌 만 종의 녹을 받고 부자가 되고자 하겠는가.
맹자는 이미 제나라에서는 도가 행해지지 않기 때문에 미련 없이 떠나려는 마음이었던 거야.
안녕!
다만 드러내고 말하기가 어려워서 경(卿)이라는 벼슬에 있을 때 십만 종의 재물도 사양했는데, 이제 와서 만 종을 어찌 받겠냐 하며
재물 따위를 원한 게 아니야.
아!
재물 때문이 아니라 의로움이 없어서 다시 머무를 수 없다는 깊은 심정을 시자는 헤아릴 수가 없었어.
종(鍾)은 요즘의 화폐 단위 같은 거지?
응, 당시 제나라의 관료들에게 지급되던 녹봉의 단위였어.

8) 부름이 아니면 가지 않습니다.
제자 진대가 맹자에게 아뢰기를
스승님이 제후를 만나지 않으시는 것은 소심한 행동인 것 같습니다.
"그를 한번 만나 보면 크게는 패자로 만들 수도 있고
야옹~!
작게는 그를 왕자(王者)로 만들 수도 있지 않겠습니까!" 하면서 제후를 만나 보라고 했어.
어흥
진대는 '한 자를 굽혀서 여덟 자를 바르게 한다.'는 옛말을 하며 스승도 그러했으면 하고 바랐던 거야.
맹자는 이렇게 답했어.
옛날에 제나라 경공이 사냥을 할 적에
동산을 지키는 관리인을 보고 깃발을 들어 이리 오라고 불렀는데, 그 관리인이 오지 않았어.
....
화가 난 경공이 그를 죽이려고 했지.
하지만 훗날 공자는 동산을 지키는 관리인을 칭찬하셨는데

공자는 자기를 부른 게 아니었기 때문에 관리인이 가지 않았음을 알고 칭찬하신 거야.
이름이 괜히 있겠나?
당시 왕이 대부를 부를 때는 깃발로 했으며,
동산을 지키는 관리인을 부를 때는 가죽으로 만든 관을 사용했거든.
앗, 가죽관으로 날 부르신다!
쌩
공자께서 말하길
뜻있는 선비는 죽어서 자기 몸이 도랑에 버려지는 것을 잊지 않고
용사는 생명을 가벼이 하여 자기 머리를 잃을 것을 잊지 않는다고 했다.
잊지 않을 게~!
즉 뜻있는 선비란 지조를 굳게 지켜서 자신이 죽으면 시신을 넣을 관이 없어서
제 몸이 도랑에 버려지더라도 원망하지 않을 것을 생각해.
용감한 병사는 자신의 생명을 가벼이 여겨 전투하다가 자신의 머리를 잃더라도
?
?
뒤를 돌아보지 않을 것임을 항상 잊지 않는다는 거야.
후회 없다!
맹자가 계속 말하길
옛날에….

진(晉)나라의 대부 조간자가 말몰이꾼 왕량과 총애하는 신하 폐해와 함께 수레를 타고 사냥을 가게 했는데
종일토록 한 마리도 잡지 못한 신하 폐해가 돌아와 조간자에게 말하기를
씩 씩 씩
찍 찍~
천하에 값어치 없는 말몰이꾼이었다고 했어.
어떤 사람이 이 말을 듣고 왕량에게 전하자, 왕량이 이 말을 듣고서 조간자에게 다시 한 번 사냥하자고 청했으나 승낙하지 않다가
한 번 더….
왕량이 강하게 청하자 마지 못해 이를 받아들였어.
삭 삭
이번에는 왕량이 말을 몰아 하루 아침에 열 마리 짐승을 잡도록 해 주자
곰 다섯!
꿩 둘!
호랑이 셋!
신하 폐해가 조간자에게 알리기를
천하에 훌륭한 말몰이꾼이었습니다.
조간자는 폐해에게 "내 너를 위해 다시 왕량에게 수레를 몰도록 하겠다." 하며 왕량에게 말을 몰도록 일렀다.
이 얘기를 들은 왕량은 조간자의 부탁을 거절하며 말하길
No!

제가 일전에 말을 모는 것을 법(法)대로 하여 사냥을 했더니, 종일토록 한 마리도 잡지 못했고
그를 위하여 부정한 방법으로 말을 몰아 짐승을 만나게 했더니, 하루아침에 열 마리를 잡았습니다.
저는 부정한 방법으로 말을 몰아 짐승을 잡는 소인과 함께 수레 타는 것은 익히지 않았으니
청컨대 사양하겠습니다.
군자가 소인과 더불어 이렇다 저렇다 말하지 않고, 같이 행동하지 않는 것은 모두 이런 이유에서이다.
도리를 굽혀서까지 제후를 따른다면 어찌 되겠는가?
딸랑
도리
뻥
맹자는 진대에게 말했어.
진대야! 이제 내가 왜 제후를 만나지 않는지를 알겠느냐?
자기를 굽혀서 남을 바르게 할 수는 없는 거야.
부끄럽도다.

제9장
백성의 마음을 잃은 것은 천하를 잃은 것입니다
1) 천하를 잃는다는 것은 백성의 마음을 잃는 것입니다.
맹자가 제자들에게 말했어.
하나라의 걸왕과 은나라의 주왕이 천하를 잃은 것은
그들이 포악하고 잔악한 정치를 펴서 백성들의 마음이 돌아섰기 때문이다.
폭력정치
그러므로 군자가 천하를 얻는 데는 반드시 길이 있다.
!
천하를 얻는길
그러자 제자들이 그 길에 대해 물었어.
가르쳐 주세요!
그게 뭡니까?

맹자는 세 가지를 말했어.
첫째로 백성을 얻는 것이며,
둘째로 백성의 마음을 얻는 것이며,
셋째로 백성이 원하는 것을 해 주고, 백성이 싫어하는 바는 베풀지 않는 것이라고 했어.
세금은 줄이고 보조금은 늘려라!
예이!
백성들이 원하는 것은 예나 지금이나 다름이 없어.
잘 먹고 걱정없이 사는 것!
가족끼리 한평생 걱정 없이 편안하고 행복하게 살기를 바라는 거지.
왕이 백성들을 편안하게 살도록 하려면
생활을 넉넉하게 해 주고 곤궁하지 않게 해 주는 것 아니겠어?
그러려면 백성들의 힘을 아끼고, 그 힘을 전쟁이나 부역 등으로 헛되이 낭비하지 말아야 해.
그렇게 하면 물이 위에서 아래로 내려오듯이 천하의 백성들이 내려오고
짐승들이 들로 뛰쳐나가듯이 모두 뛰쳐나와 그런 군주에게 모여든다고 했어.
사랑해요~!

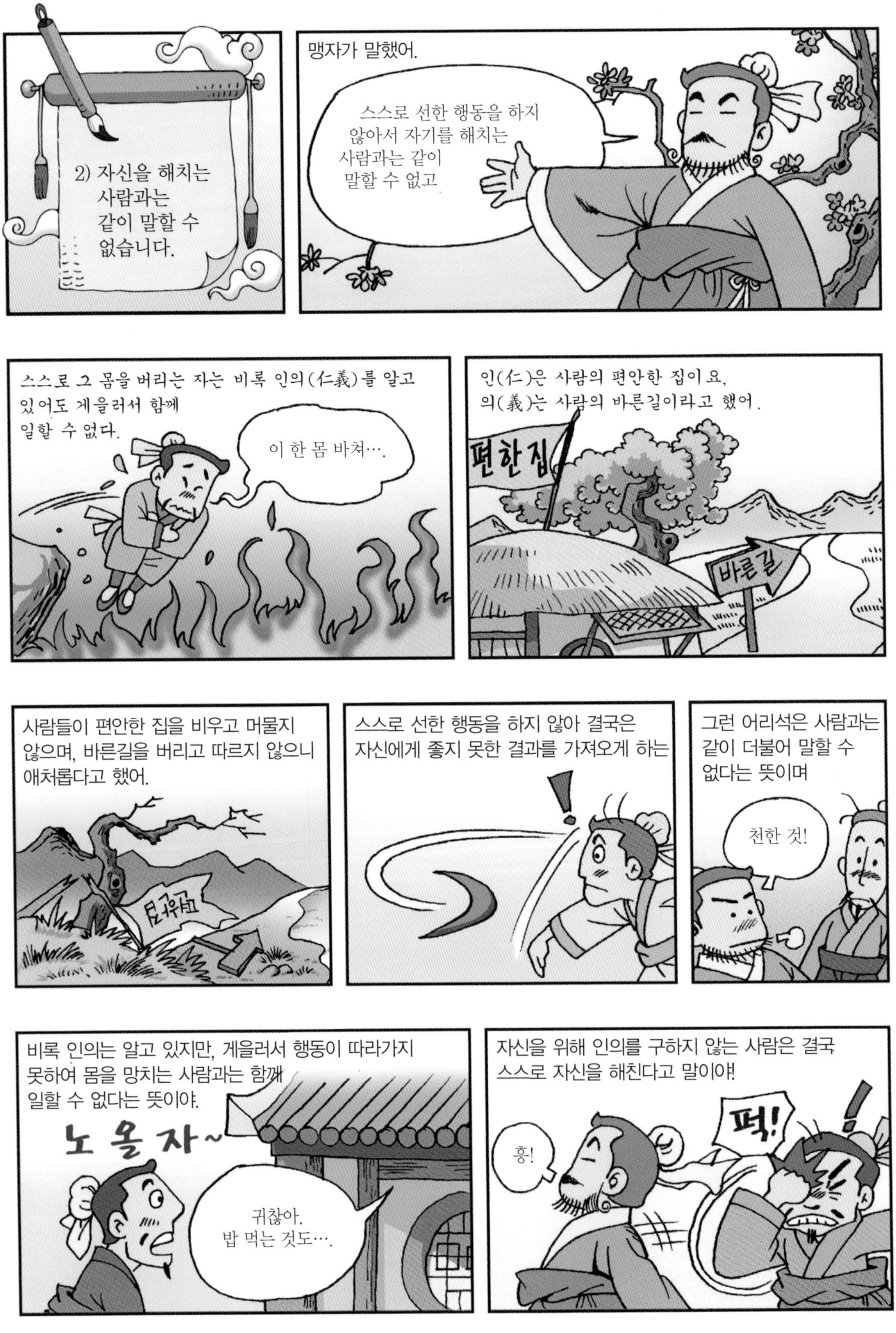

2) 자신을 해치는 사람과는 같이 말할 수 없습니다.
맹자가 말했어.
스스로 선한 행동을 하지 않아서 자기를 해치는 사람과는 같이 말할 수 없고
스스로 그 몸을 버리는 자는 비록 인의(仁義)를 알고 있어도 게을러서 함께 일할 수 없다.
이 한 몸 바쳐….
인(仁)은 사람의 편안한 집이요, 의(義)는 사람의 바른길이라고 했어.
편한집
바른길
사람들이 편안한 집을 비우고 머물지 않으며, 바른길을 버리고 따르지 않으니 애처롭다고 했어.
스스로 선한 행동을 하지 않아 결국은 자신에게 좋지 못한 결과를 가져오게 하는
그런 어리석은 사람과는 같이 더불어 말할 수 없다는 뜻이며
천한 것!
비록 인의는 알고 있지만, 게을러서 행동이 따라가지 못하여 몸을 망치는 사람과는 함께 일할 수 없다는 뜻이야.
노올자~
귀찮아. 밥 먹는 것도….
자신을 위해 인의를 구하지 않는 사람은 결국 스스로 자신을 해친다고 말이야!
흥!
퍽!

3) 도(道)는
가까운 데서
구하십시오.
맹자가 계속 말하길
사람들은 도가 가까운 곳에
있는데도 먼 곳에서 구하며
일이 쉬운 곳에 있는데도
어려운 데에서 찾고
자르면
되잖아.
사람마다 각기 그 어버이를 친히 하고, 그 어른을 어른으로 섬기면
천하가 화평해질 것이라고 했어.
어버이와 어른을 섬기는 것은
사람으로서 마땅히 해야 하는
일이라는 뜻이지.
험
기본이지.
맹자는 이렇게 하는 것이 곧
도인데
道
이것을 버리고 다른 데서 도를 구하려고 하니
어리석다는 거야.
도
도
어리석은 사람은 도가 멀고
하기 어려운 것이라고
생각하기가 쉽거든.
도는 대체
어딨는 거야?
헉
세상의 모든 사람들이 어버이를 친하게 하고 주위의 어른을 섬기면 그것만으로도
도를 실천하는 것이니, 천하는 절로 화평해진다는 뜻이야.

4) 몸이 성실하면 신임을 얻습니다.
맹자는 아래 지위에 머물러 있으면서 윗사람에게 신임을 얻지 못하는 사람은
회사원 자격미달
....
무능한..
백성을 다스리지 못할 것이라고 했어.
부탁 좀 해요~.
흥!
그리고 동료 벗에게 믿음을 얻지 못하면 윗사람에게 신임을 얻지 못해.
한 번만 믿어 주라. 친구야!
벗에게 믿음을 얻는 방법은 부모님을 섬겨 기쁘게 하는 것이야.
해외 여행 다녀오세요!
부모님을 기쁘게 하는 방법은 자신의 몸을 성실히 하는 것이고
안 힘들어요.
몸을 성실히 하는 방법은 성실히 일할 것을 생각하는 것이라고 했어.
열심!
열심!
모든 일에 성실히 임하면 내 몸이 성실해지고
바쁘다..
바빠
부모님 또한 기뻐하게 되며, 그런 부모님을 정성을 다해 섬기면
쪼오옥
벗에게 믿음을 얻을 수 있게 되고, 결국 윗사람에게 신임을 얻게 돼.
부장으로 승진!
!
지극히 성실하고서 남을 감동시키지 못하는 자는 없었어.
아셨죠?!

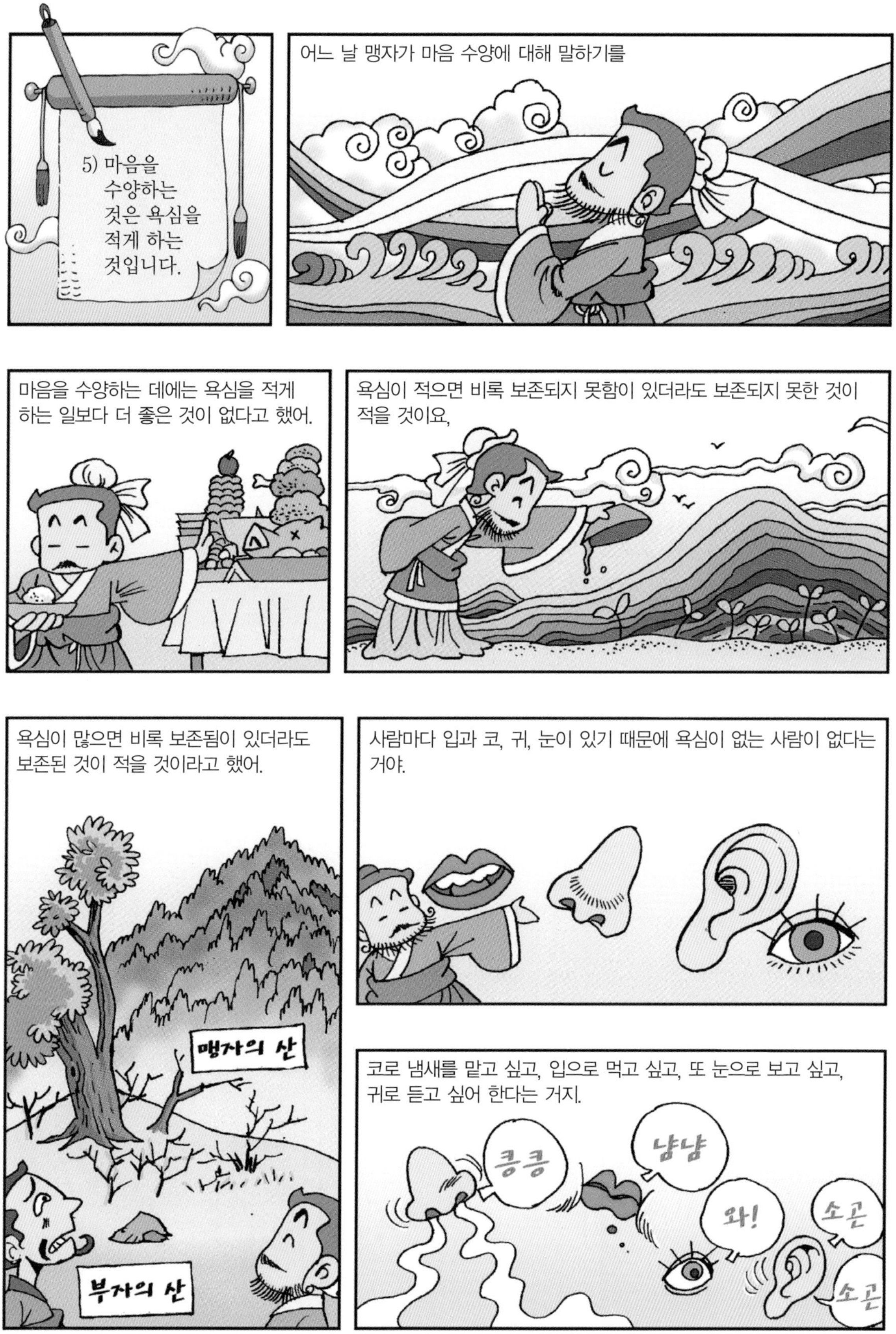
5) 마음을 수양하는 것은 욕심을 적게 하는 것입니다.
어느 날 맹자가 마음 수양에 대해 말하기를
마음을 수양하는 데에는 욕심을 적게 하는 일보다 더 좋은 것이 없다고 했어.
욕심이 적으면 비록 보존되지 못함이 있더라도 보존되지 못한 것이 적을 것이요,
욕심이 많으면 비록 보존됨이 있더라도 보존된 것이 적을 것이라고 했어.
맹자의 산
부자의 산
사람마다 입과 코, 귀, 눈이 있기 때문에 욕심이 없는 사람이 없다는 거야.
코로 냄새를 맡고 싶고, 입으로 먹고 싶고, 또 눈으로 보고 싶고, 귀로 듣고 싶어 한다는 거지.
킁킁
냠냠
와!
소곤
소곤

사람들이 이런 욕심을 적게 갖는다면
욕심
마음 수양이 부족하더라도 그 수양되지 않음이 작다는 거야.
끙끙
반대로 욕심을 많이 갖는다면, 비록 마음이 수양되었더라도
다 내 거!
그 수양됨이 작다는 거지.
즉 마음이 수양되었더라도 그것은 수양이 아니라는 뜻이야.
뭐가 문제야??
그러므로 마음을 수양하려는 사람은 욕심을 절제하지 않으면 이룰 수 없다는 뜻이야.
쌔애앵
내일까지는 도착할 거야~
덜컹 덜컹
욕심이 많아지면 본래의 마음을 잃게 된다고 했어.
너의 원래 색깔이 뭐냐?
??
카멜레온
그러면 짐승과 다를 바 없다는 거야.
우리가 뭐?!!
물욕에 눈이 어두워지면 공과 사가 구분이 되지 않으며
열? 둘?
판단이 흐려져 결국은 해서는 안 되는 행동을 하게 되며
소변금지
모든 것을 한순간에 잃게 될 수도 있기에 괜한 욕심은 조심해야 해.
파산

6) 남녀 간에 주고받기를 친하게 하지 않는 것이 예입니까?
제나라 변사 순우곤이 하루는 맹자를 찾아와 예에 대해 물었어.
남녀 간에 주고받기를 친히 하지 않는 것이 예입니까?
맹자는 "예가 맞다."고 대답했어.
그렇다!
순우곤은 동생의 아내가 우물에 빠지면 손으로 구해 줘야 하는지 다시 물었어.
아 아 아 아 아…
맹자는 동생의 아내가 물에 빠졌는데도 구하지 않는다면, 이는 승냥이와 같으니
나는 왜 걸고 넘어가?!
승냥이
남녀 간에 주고받기를 친히 하지 않음은 예이며,
꿔 간 돈 돌려 줘!
동생의 아내가 물에 빠져서 손으로 구하는 것을 '권도'라고 했어.
합!
權道
권도란 그때그때의 형편에 따라 일을 처리하는 방도를 말하는 거야. 맹자는 위급해서 예를 행할 수 없을 때는 권도를 따르라고 한 거지.
아!
따라와~.
옛날엔 성인남녀가 서로 물건을 주고받아도 안 되고, 애정 표현도 조심해야 할 만큼 남녀 분별이 엄격했어.
부끄러워요~.
얼굴만이라도 보여 주오.

7) 군자는 직접
자기 자식을
가르치지
않습니다.
공손추가 맹자에게 물었어.
군자는
직접 자기
자식을
가르치지
않는 것은
무슨 이유에서
입니까?
맹자가 말하길, 아버지와 아들의 형세가 바르게
행해지지 않기 때문이라고 했어.
퉤
카~
퉤
가르치는 자는 반드시 올바름으로써 가르쳐야 하는데
휴지 줍고
가거라!
자식을 올바름으로써 가르쳐
행해지지 않으면 화를 내게 되고
대충해
화를 내면 도리어 자식의 마음을
상하게 만들기
때문이지.
아이고~
자식이 생각하기를 '아버지께서 나를
바르게 가르치시지만
바름
바름
아버지도 행실이 바르지
못하시다.' 라고 한다면
바름
딸꾹
이는 부자간에 의리를 상하는 일이니
나쁜 일이라는 거야.
휘
이
이
그러므로 옛날에는
자식을 바꾸어
가르쳤다.

8) 섬기는 일 중에서 무엇이 가장 큰 일입니까?
맹자가 말하길
섬기는 일 중에 어버이를 섬기는 일이 가장 크다.
지키는 일 중에 지조를 지키는 일이 가장 크다고 했어.
꽂꽂
지조
몸을 잃지 않은 자가 그 어버이를 잘 섬겼다는 얘기는 들었어도
힘들지?
아뇨~
몸을 잃고서 그 어버이를 잘 섬겼다는 자는 듣지 못했다고 했어.
전쟁에 팔다리를 모두 잃어…
휴~
남을 섬기는 일 중에 가장 근본이 되는 것은 어버이를 섬기는 일이고
지켜야 하는 일 중에 가장 근본이 되는 것은 자신의 몸을 지키는 일이야.
어버이를 섬길 때 효로 한다면, 나라에 충성하는 마음을 군주에게 가질 수 있고
순종하는 마음을 윗사람에게로 옮길 수 있으니
복장을 단정히!
몸을 바르게 하면 집안이 가지런해지고 나라가 다스려져 천하가 화평해진다는 거야.
태평천하

9) 남은 음식을 누구에게 주겠습니까?
공자 제자 중에 한 사람인 증자는 부모에게 지극히 효도했다고 해.
그래서 맹자가 제자들에게 효에 관해 말을 할 때 증자 얘기를 했어.
증자는 부모님을 봉양할 적에 밥상에 반드시 술과 고기를 올렸어.
그런데 밥상을 치울 때면
증자는 반드시 부모님이 드시고 남은 음식을 "누구에게 주시겠습니까?" 하고 물었어.
그의 아버지가 "밥상에 남은 것이 있느냐?" 하고 물으면
증자는 반드시 "있습니다." 하고 대답했어.
예!
후일 그의 아버님이 돌아가시자, 증자의 아들인 증원이 증자를 봉양하게 됐어.

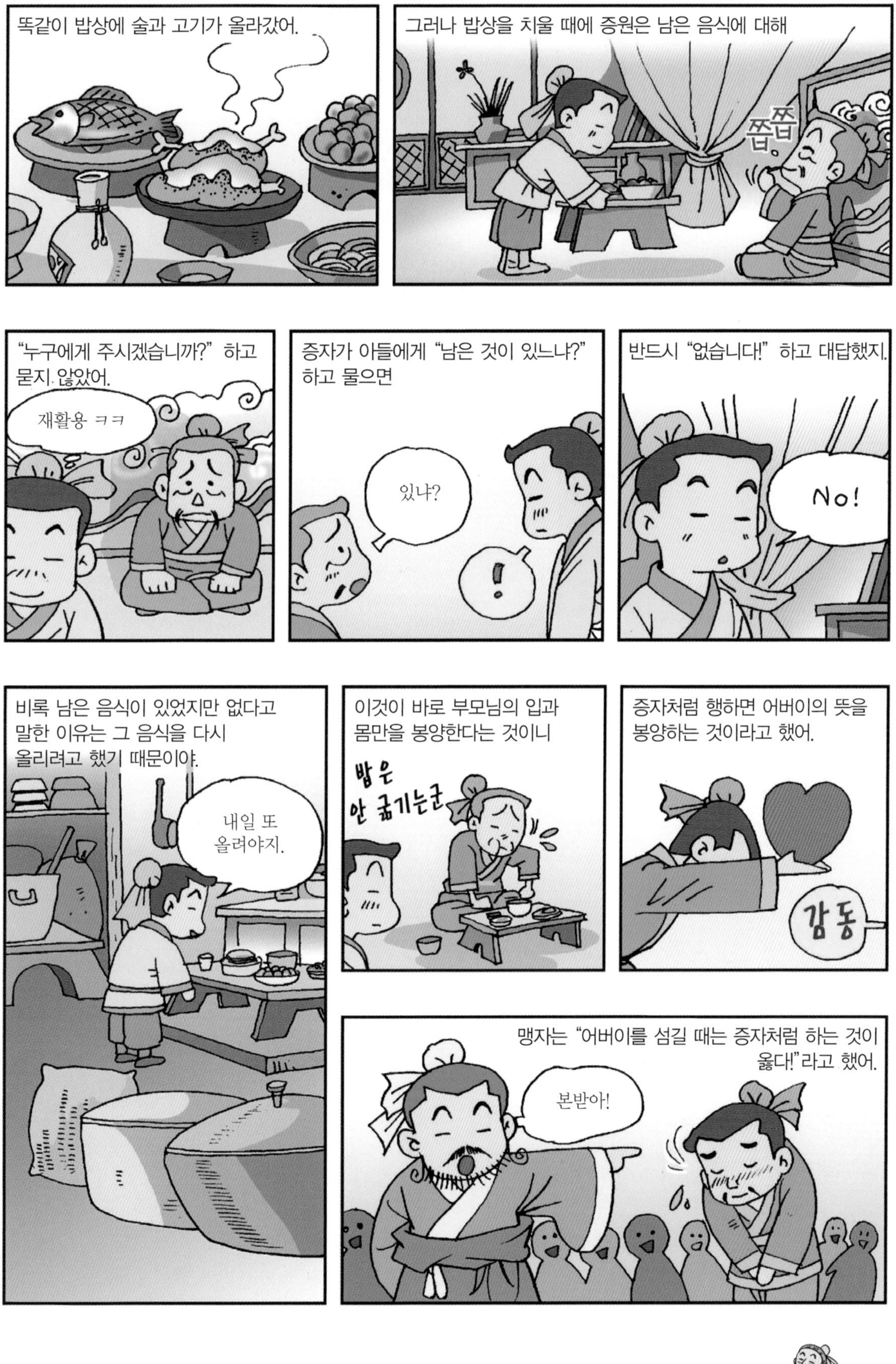
똑같이 밥상에 술과 고기가 올라갔어.
그러나 밥상을 치울 때에 증원은 남은 음식에 대해
쩝쩝
"누구에게 주시겠습니까?" 하고 묻지 않았어.
재활용 ㅋㅋ
증자가 아들에게 "남은 것이 있느냐?" 하고 물으면
있냐?
!
반드시 "없습니다!" 하고 대답했지.
No!
비록 남은 음식이 있었지만 없다고 말한 이유는 그 음식을 다시 올리려고 했기 때문이야.
내일 또 올려야지.
이것이 바로 부모님의 입과 몸만을 봉양한다는 것이니
밥은 안 굶기는군
증자처럼 행하면 어버이의 뜻을 봉양하는 것이라고 했어.
감동
맹자는 "어버이를 섬길 때는 증자처럼 하는 것이 옳다!"라고 했어.
본받아!

10) 군자의 대도(大道)를 듣지 못하면 그 몸을 해칠 뿐입니다.
분성괄은 제나라에서 벼슬을 한 사람이었어.
하루는 맹자가 그의 행동을 유심히 지켜보더니
"죽겠구나! 분성괄이여!" 라고 말했어.
훗날 맹자의 말대로 분성괄은 죽임을 당했어.
제자들은 어떻게 맹자가 분성괄의 죽음을 예견했는지 몹시 궁금해 했지.
어떻게?!
돗자리 깔까?
맹자가 대답하길
군자의 큰 도를 아직 듣지 못했으니, 그것으로 족히 그 몸을 해칠 뿐이라고 했어.
큰 도를 아십니까?

도(道)를 모르고 작은 재주를 믿으니
내가 만든 칼!
내가 만든 칼!
이는 반드시 화(禍)를 입을 것이라는 뜻이었지.
맹자뿐만 아니라 옛날 성현들은 사람들이 행하는 말과 행동으로도 그 사람의 사람됨을 파악한 거야.
와....
하나를 보면 열을 알아!
그러므로 매사에 조심하고 또 조심해서 행동해야 한다는 거지.
금 밟으면 재수 없어.
조심
조심
지금도 자신의 조그마한 재주를 믿고 함부로 행동하는 사람들이 많이 있잖아.
이 숲에선 내가 최고!
그런 사람들은 시간이 있을 때마다 성현들의 책을 읽고 몸소 습득해서
말할 때나 행동할 때 자신의 잘못된 점을 반성하여 고쳐 나가야 해.

11) 의롭지 못한 사람이 어찌 지조를 지킬 수 있겠습니까?
제나라 광장이 맹자에게 진중자라는 사람에 대해 묻기를
진중자가 어찌 진실로 청렴한 선비가 아니겠습니까?
그가 오릉에 살 적에 삼 일 동안 먹지 못해 귀에 들리는 것이 없었으며
밥 먹어!
꼬로록
눈에는 보이는 것이 없었는데
덤벼!
우물가에 애벌레가 반 넘게 파먹은 자두가 있기에 그것을 주워서
냠냠
벼룩의 간을 빼먹어라!
세 번 삼켜 먹자, 귀가 들리고 눈이 보이는 것이었습니다.
보인다!
뻥
광장의 말을 끝까지 들은 맹자는
제나라 선비 중에 진중자를 높일 수는 있지만
“어찌 청렴하다고까지 할 수 있겠는가.”라며 진중자에 대해 자세하게 설명해 줬어.
진중자 집중분석
진중자에게 형이 있었다.
그 형이 땅에서 거둬들이는 수입이 만석이었는데
!
진중자는 형의 수입이 의롭지 못한 것이라 여겨 음식을 먹지 않았다.
No!
좀 먹지?

또 형의 집을 의롭지 못한 집이라 하여 같이 살지도 않고 오릉에 살았다.
쥐도 많고 너무 좋다!
그러다가 훗날 형의 집으로 돌아와서 살게 되었다. 때마침 거위를 형에게 선물하는 사람이 있었다.
그는 이마를 찌푸리면서 "이 거위를 무엇에 쓰겠냐?" 하며 핀잔을 늘어놓았다.
며칠 후 그의 어머니가 이 거위를 잡았는데, 진중자는 모르고 맛있게 먹다가 때마침 형이 밖에서 돌아와 그것을 보고 거위고기라 했다.
아까 그 거위고기지롱
많이 먹거라
그는 형의 소리를 듣자마자 달려 나가서 모두다 토해 버렸다.
웩
웩
그후 어머니가 해 주신 음식은 먹지 않았고, 아내가 하면 먹었다.
당신이 한 거 맞아?
그리고 형의 집에서 나와 다시 오릉에 옮겨가 살았다.
쥐가 더 많아졌네.
진중자의 지조는 백이의 지조와 같은 것이 아니었다.
진중자
백이
어머니가 지어 준 음식과 형의 집에 사는 것을 의롭지 못하다 여겼으면서
아내가 사온 곡식은 먹고, 오릉에서 사는 것에 대해서는 신경 쓰지 않았으니
여보 식사하세요.
이것에 대하여는 먹지 않고 또 그곳에서는 거처하지 않으면서
No!
저것에 대해서는 먹고 또 거처하니 어찌 지조를 지킨다고 할 수 있겠는가.
너무 맛있어!
찌이익

제10장 부모에게 기쁨을 얻지 못하면 사람이 될 수 없습니다

1) 믿고 구하려면
도를 얻지
못합니다!

등경은 등나라 군주의 아우였는데, 맹자에게 잠시 학문을 배우러 왔던 사람이야.

그런데 맹자는 그의 물음에 대해 대답하지 않았어.
묻고
또 묻고
…
자꾸 묻고

이를 보고 제자들 중에 공도자가 물었어.
등경이 문하에 있을 때 그의 물음에 대답하지 않으신 건 어째서입니까?

맹자가 대답하길
나, 힘 무지 세!
어짊을 믿고 물으며
배부르니까 놔준다 고맙지?
나이 많음을 믿고 물으며
어른이 먼저 먹어야지!
공로가 있음을 믿고 물으며
왕께서 날 어찌나 칭찬하시던지….
저의(底意)를 가지고 묻는 경우에는 대답하지 않는 것이니
식사는요? 전 돈이 없어서….
….
꼬르륵
등경은 이 두 가지를 가지고 있으니 내가 대답을 하지 않는 것이다.
맹자는 평소에 제자들이 질문하면 곧바로 대답해 주었지만
2번이 정답이야.
아… 예.
첫째, 자신이 귀한 신분임을 스스로 만족해서 묻거나
난 돈이 왜 이리 많을까!
….
둘째, 자신이 어질다고 스스로 만족해서 물을 때
저는 착해서 모기 한 마리도 죽이지 못합니다.
….

셋째, 자신의 나이가 많음을 스스로 만족해서 묻거나
나는 나이가 들수록 똑똑해지는 것 같아.
….
넷째, 자신의 공로가 있음을 스스로 만족해서 물을 경우와
오랑캐를 무찌른 내 말이 무조건 정답이라니까요.
마지막으로, 어떤 저의를 가지고 물으면 대답하지 않았다고 해.
이번이 아주 좋은 기회인데 말이야….
곧 맹자는 묻는 사람의 마음가짐을 말했던 거야.
들어가시오!
긁적
긁적
사람들은 믿는 구석이 있으면 도를 받아들이는 마음이 진실하지 못하다고 했어.
믿어야 돼! 그래야 좋은데 가!
좋은 데에 당신 혼자 많이 가.
즉 뜻을 정성스럽게 받아들이지 못한다는 거야.
받아들일 준비가 안 된 사람에겐 대답할 필요를 느끼지 못한 거지.
벌써 한 달째 대답이 없네.
씨~
그런데 '문하' 라는 말은 스승의 가르침을 받아 학문을 닦은 사람이란 뜻이지?
맞아.
그리고 '저의(底意)' 는 마음속으로 품고 있는 다른 뜻?!
그렇지!

2) 사람들의 병통은 남의 스승되기를 좋아함에 있습니다.
맹자가 말하길
모든 사람들이 자기 학문의 높낮이도 알지 못한 채
남의 스승이 되기를 좋아하니, 이것이 사람에게 큰 병이라고 했어.
족집게 과외가 한달 5냥 어때?
됐거든요.
당시 왕면이란 사람도 이르기를
학문이 충분하여 다른 사람들이 자기에게 물으면
부득이 이에 응하는 것이 옳지만, 만일 남의 스승이 되기를 좋아한다면
스스로 만족하게 여겨 다시는 진전이 있지 않을 것이니, 이것은 사람들의 큰 병이라고 했어.
배움의 길은 끝이 없다면서요?!
모름지기 벼는 익을수록 고개를 숙이는 법이고, 달은 차야 기우는 법이야.
많이 배우고 학문의 도가 깊으면 머리를 숙이고 겸손해진다고 했어.
부족함이 많아 사양하겠습니다
관 직
요즘 자기 PR시대라고 해도 너무 막무가내잖아! 우리 모두 겸손해져야 할 것 같아.

3) 몸의 지조를 잃은 죄가 큽니다.
일찍이 맹자가 제나라에 있을 때 제자 악정자가 왕환이라는 사람을 따라 제나라에 온 적이 있었어.
악정자가 맹자를 만나 문안 인사를 드리자 맹자가 "자네도 나를 찾아왔는가?" 하고 핀잔을 줬어.
악정자가 왜 그런 말을 하느냐며 섭섭한 듯이 말했대.
그런 뒤 맹자는 "자네가 이곳에 온 지 며칠 되었는가?" 라고 악정자에게 물었어.
악정자는 며칠 전에 왔다고 대답했지.
맹자는 "며칠 전이라면 내가 이렇게 말하는 것이 당연하지 않는가." 하며 꾸짖었어.
너무한 자네!
악정자가 변명하길
머무를 객사(여관)를 정하지 못해서였습니다.

그러자 맹자는
객사를 정한 뒤에 어른을 찾아본다고 하던가?
하며 꾸짖으니 악정자가 고개를 떨굴 수밖에 없었지.
...
맹자가 악정자를 나무란 이유는 늦게 찾아간 것 외에 또 있었어.
악정자와 같이 온 왕환은 맹자가 평소 말을 나누지 않은 사람이야.
격이 낮아!
그만큼 인품이 높지 않은 사람이었지.
그런데 악정자가 그를 따라 제나라에 왔으니 맹자가 못마땅하게 생각했어.
어찌할지?
그래서 맹자는 악정자에게 몸의 지조를 잃은 죄가 크다고 꾸짖은 거야.
네.
맹자가 반성하고 있는 악정자에게 말했어.
자네가 왕환을 따라 제나라에 온 것은
단지 먹고 마시기 위해서였다.
오빠~

나는 자네가 내게 성현들의 도를 배워서 먹고 마시는 것에 쓰리라고는 전혀 생각하지 못했네.
맹자의 말에 악정자는 사죄를 했어.
스승님, 제가 큰 죄를 졌습니다.
악정자의 잘못이 크긴 했지만, 그에게서 본받을 만한 점도 있어.
바로 꾸지람을 겸허히 받아들이는 태도지.
죄송합니다, 선생님.
잘못을 해서 누군가 꾸짖으면 그 꾸짖음을 고맙게 받아들이지 않고, 자신을 변명하는 사람들이 있거든.
이래서 저래서
그런 사람들은 스승이 가르쳐 주는 배움의 가치도 느낄 수 없을 거야.
알겠느냐?
?
스승의 가르침도, 고마움도 알지 못하고 자신이 제일 잘난 것처럼 구는 것은 어리석은 행동이라 할 수 있지.
그런 뜻이 아냐!
난 소중하니까!

4) 마음이 생기면 행실을 어찌 그만둘 수 있겠습니까?
인(仁)의 실제는 부모님을 섬기는 것이요,
의(義)의 실제는 형에게 순종하는 것이다.
인은 사람을 사랑하는 것을 말하는 것으로, 어버이를 섬기는 것보다 큰 것이 없으며
의는 공경함을 말하는 것으로, 형에게 순종하는 것보다 큰 것이 없다.
부탁하네 동생!
네, 형님!
인과 의의 도는 그 쓰임이 아주 넓지만 부모님을 섬기고 형에게 순종하는 데서 출발하며, 행하고도 남은 힘이 있으면 다른 사람을 섬기고 공경해야 한다.
또 지(智)의 실제는 부모님을 섬기고 형을 따르는 것을 지키는 것이요, 예(禮)의 실제는 품위와 절도에 맞게 인과 의를 행하는 것이야.
낙(樂)의 실제는 인과의를 행하는 것을 즐거워하는 것이지.
사람이 즐거워하면 즐거운 마음이 생기고, 즐거운 마음이 생기면 행실은 절로 이루어지니 어찌 그만둘 수 있겠느냐?
내일은 뭘로 아버님을 즐겁게 해드릴까?
그만둘 수 없다면 자신도 모르게 발로 뛰고 손으로 춤을 추게 될 것이다.
얼쑤~

5) 부모님에게 기쁨을 얻지 못하면 사람이 될 수 없습니다.
맹자가 순임금이 평소 부모님에게 행했던 효도에 대해 말했어.
천하의 사람들이 모두 좋아하며
와~
천하의 백성들이 자신에게로 오는 것을 좋아하면서도
?
언젠가 과인을 좋아하게 될 거야.
자신에게 오는 것을 지푸라기처럼 보고
그 부모님에게 기쁨을 드리고자 하신 분이 오직 순임금이었어.
아버님!
부모님에게 기쁨을 얻지 못하면 사람이 될 수 없고
부모님을 도에 순응하게 하지 못하면 자식이 될 수 없다고 여겼어.
순임금의 아버지는 원래 이름이 고수라고 하는 사람으로
휙
나?
성질이 거만하고 포악했다고 해.

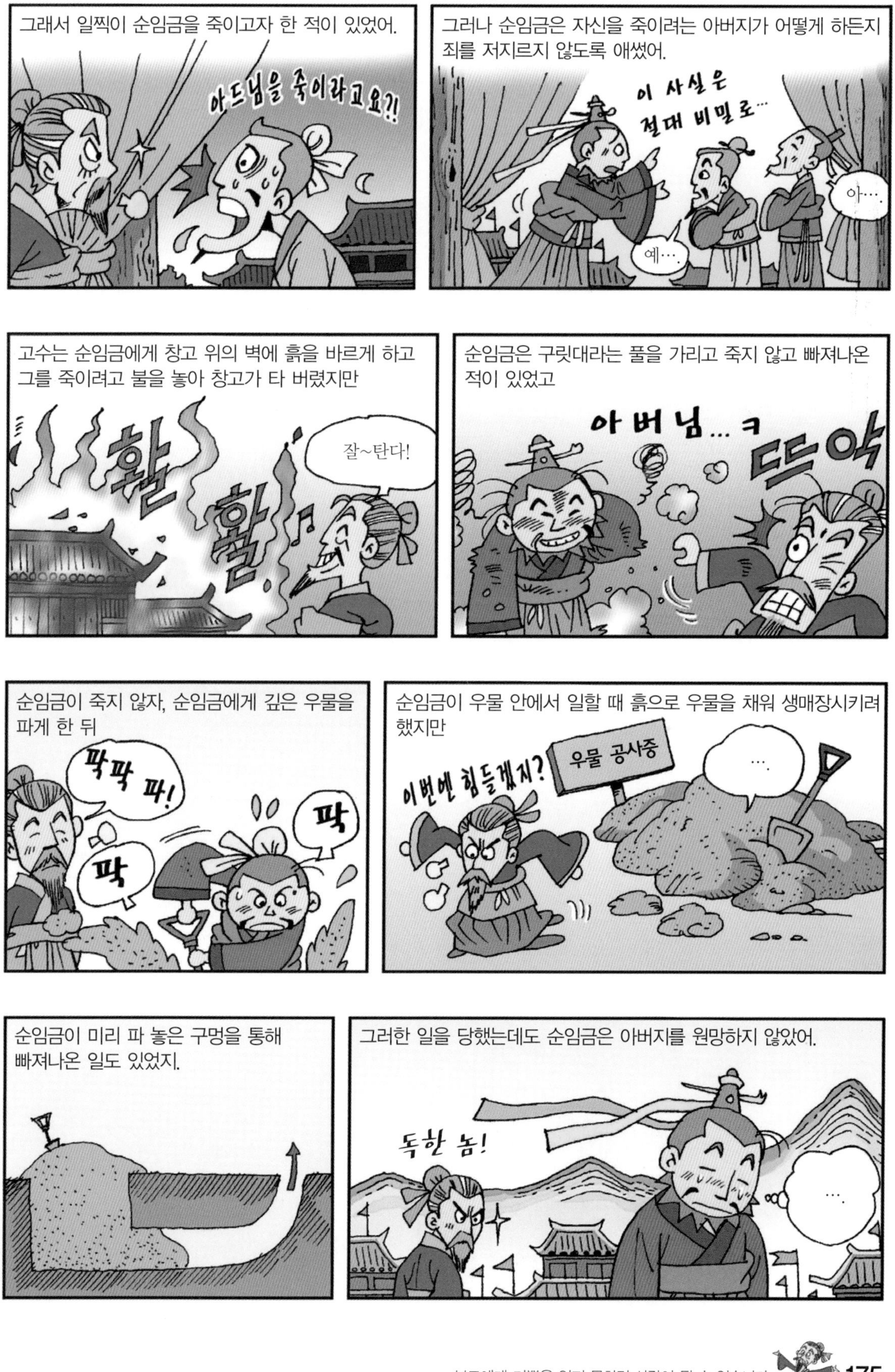
그래서 일찍이 순임금을 죽이고자 한 적이 있었어.
아드님을 죽이라고요?!
그러나 순임금은 자신을 죽이려는 아버지가 어떻게 하든지 죄를 저지르지 않도록 애썼어.
이 사실은 절대 비밀로…
예….
아….
고수는 순임금에게 창고 위의 벽에 흙을 바르게 하고 그를 죽이려고 불을 놓아 창고가 타 버렸지만
활활
잘~탄다!
순임금은 구릿대라는 풀을 가리고 죽지 않고 빠져나온 적이 있었고
아버님…ㅋ
순임금이 죽지 않자, 순임금에게 깊은 우물을 파게 한 뒤
팍팍 파!
팍
팍
순임금이 우물 안에서 일할 때 흙으로 우물을 채워 생매장시키려 했지만
이번엔 힘들겠지?
우물 공사중
….
순임금이 미리 파 놓은 구멍을 통해 빠져나온 일도 있었지.
그러한 일을 당했는데도 순임금은 아버지를 원망하지 않았어.
독한 놈!
….

오히려 더욱더 열심히 아버지를 섬겼지.
아잉 ♥ 아버니임~
졌다!
순임금은 이렇게 섬김을 다해 아버지가 죄를 저지르지 않게 하니
안 돼!
죄
어쩔 수 없는 일인가….
훗날 고수 또한 참회하고 순임금을 믿고 따랐다고 해.
아들아~
결국 순임금은 아버지에게서 기쁨을 얻어 낸 거야.
와~!
감동이야!
이것을 가리켜 천하에 자식된 자가 섬길 수 없는 부모가 없다고 한 거야.
암!
최고다!
아무리 아버지이지만 자신을 죽이려 한 사람을 끝까지 섬기다니 순임금은 정말 대단해.
와~
순임금의 효행은 각박해진 현대 사회에서도 본받을 만한 가치가 있어.

6) 군주는 사사로운 은혜를 베풀어 큰 뜻을 이룰 수 없습니다.
정나라 대부 자산이 나라를 다스릴 때였어.
하루는 자기가 타는 수레를 가지고 지수와 유수라는 개울에서 사람들을 건너가게 했어.
지수와 유수는 중국 하남성에 시작되는 물줄기야.
이를 보고 맹자가 말하길
은혜로우나 정치하는 법을 알지 못했도다.
어찌 사람마다 모두 건너가게 해 줄 수 있겠는가?
맞아요!
군자가 능히 정사를 공평히 한다면 출행할 때에 사람들을 피하는 것이 옳다.
살금
살금
정치하는 사람이 매번 사람의 마음을 기쁘게 하려면 날마다 해도 부족할 것이다.
휴~.
와아~ 빨리나오셈
이 말은 사람마다 모두 사사로운 은혜를 이루어 그 뜻을 기쁘게 할 수 있다면 좋겠지만
작은 덕을 베풀기에는 군주로서 시간이 아깝다는 거야.
아!
군자의 다스림은 큰 덕으로 다스려야 하고, 작은 은혜로 하지 않는다는 뜻이지.
콸
콸
콸
쫄
쫄
쫄

7) 신하가 군주 보기를 원수와 같이 합니다.
맹자가 제나라 선왕에게 말했어.
군주가 신하 보기를 손과 발처럼 본다면
신하가 군주 보기를 배와 심장과 같이 여기고
전하~!
두근
두근
군주가 신하 보기를 개와 말처럼 하면, 신하가 군주 보기를 길거리 사람과 같이 여기고
군주가 신하 보기를 흙과 풀처럼 하면 신하가 군주 보기를 원수와 같이 할 것입니다.
아랫것들은 콱콱 밟아야 해!
콱
콱
으~ 저 웬수!
일찍이 선왕(宣王)은 신하들을 박하게 대했어.
일주일 잠 못 잔 거 가지고
빨랑 일해!
너무해…
그는 예전에 등용했던 신하가 오늘 도망간 것도 모를 지경이었어.
충신이 떠났습니다!
누구지? 그 애가?

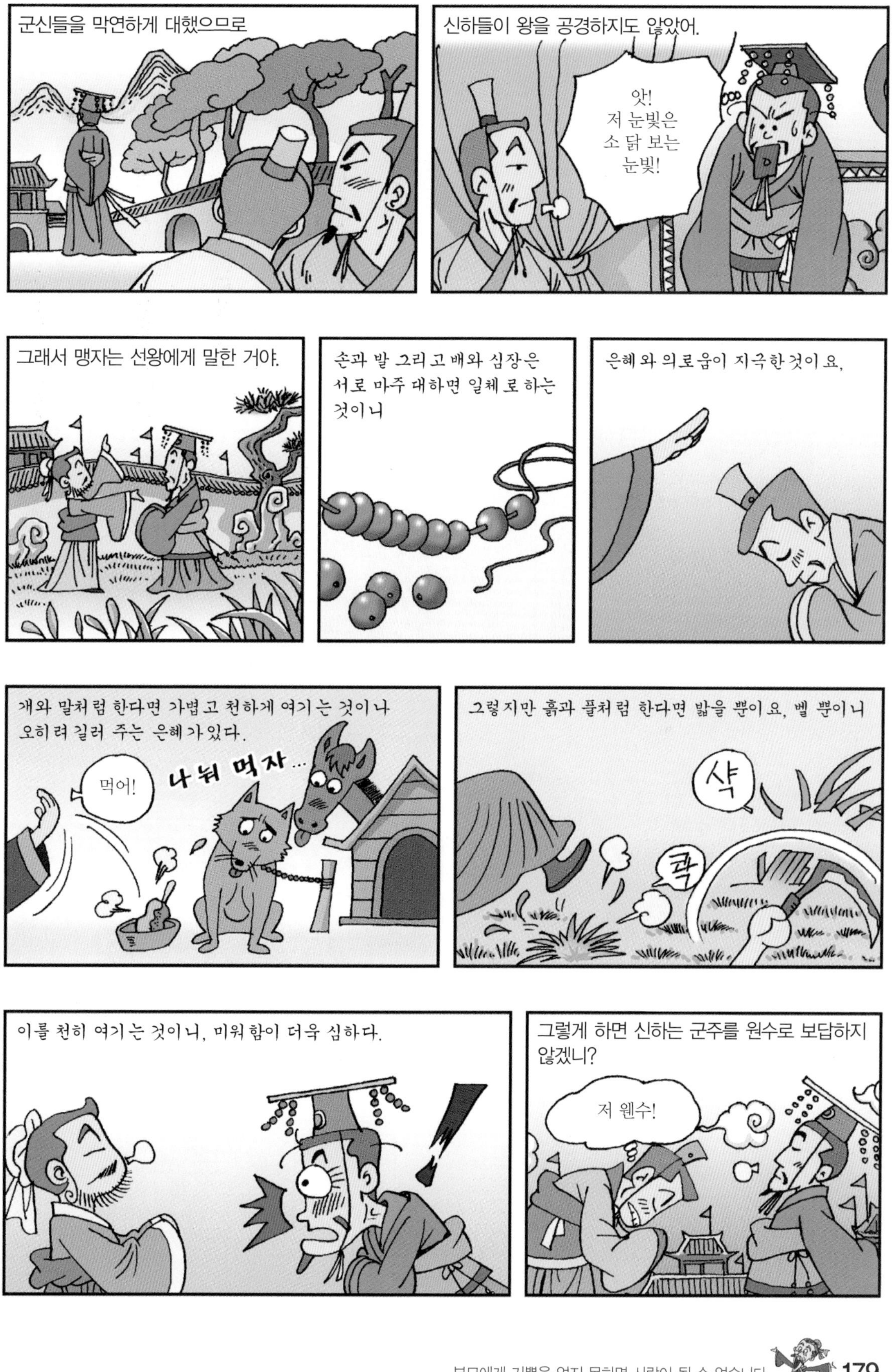
군신들을 막연하게 대했으므로
신하들이 왕을 공경하지도 않았어.
앗! 저 눈빛은 소 닭 보는 눈빛!
그래서 맹자는 선왕에게 말한 거야.
손과 발 그리고 배와 심장은 서로 마주 대하면 일체로 하는 것이니
은혜와 의로움이 지극한 것이요,
개와 말처럼 한다면 가볍고 천하게 여기는 것이나 오히려 길러 주는 은혜가 있다.
먹어!
나눠 먹자…
그렇지만 흙과 풀처럼 한다면 밟을 뿐이요, 벨 뿐이니
샥
콱
이를 천히 여기는 것이니, 미워함이 더욱 심하다.
그렇게 하면 신하는 군주를 원수로 보답하지 않겠니?
저 웬수!

8) 자세히 이해하고 꿰뚫어서 그 뜻을 요약합니다.
널리 배우고 상세히 말하는 것은
장차 요약하여 앞으로 잘 활용하기 위해서이다.
글을 널리 배우고 그 이치를 상세히 말하는 까닭은 많은 지식을 자랑하고 화려함을 다투기 위해서가 아니라
잘난 체~
재 뭐래요?
짹
짹
어리석은 자!
사물에 대해 자세하게 이해하고 관통하여 그 뜻을 요약함에 있다는 말이지.
찌릿 찌릿
뭘요?
그렇다고 해서 널리 배우고자만 할 것이 아니요, 또 요약만 해서도 안 된다는 것을 꼭 알아야 해.
예를 들어 독서를 많이 하여 독후감을 적는 것도 그 뜻을 요약하려는 것일까?
맞아! 책을 많이 읽고 독후감을 자주 쓰면 글쓰기를 잘할 수 있는 거야.
글쓰기가 잘되면 논술 또한 문제없지 않겠어?
아주 훌륭한 생각이야.

9) 남을 복종 시키려는 자는 남을 이기고자 하는 것입니다.
맹자가 말했어.
착함으로써 남을 복종시키려는 사람은
남을 복종시킬 수가 없다고 했어.
난 착하니까 내 말 잘들어.
웃기셔~.
착함으로써 남을 길러 준 뒤에야 천하를 복종시킬 수 있는 것이지.
보살펴 주신 은혜에 반드시 보답하겠습니다.
은혜는 무슨….
천하가 마음으로 복종하지 않고서는 왕 노릇을 하지 못해!
나 혼자 착함으로써 남을 복종시키려는 자는 남을 이기고자 하는 것이고
!
이거먹고 재랑 놀지마!
착함을 남에게 길러 주려는 사람은 함께 착해지려고 하는 것이니
나에게 착함이 있다면 그것을 남에게 길러 주어 남과 더불어 착해져야 한다는 뜻이야.

10) 어질지 못한 사람은 사욕(私慾)에 굳게 가려져 있습니다.
어질지 않은 사람과 함께 이야기할 수 있겠는가?
제자들이 모두 의심스러운 표정들을 지었지.
맹자가 계속 말하길
그런 사람들은 자신이 위태로워짐을 편안히 여기고
재앙을 이롭게 여겨 망하게 되는 것을 좋아한다.
만약 어질지 않으면서도 남과 더불어 말할 수 있다면
어찌 나라를 망하게 하고 집안을 패하게 하는 일이 일어나겠는가?
결국 어질지 못한 사람은 사리사욕에 마음이 수시로 바뀌고 굳게 가리워져 자신의 본심을 잃으며, 또 어지럽고 어수선함에 이르니
남과 더불어 말할 수도 없고, 또한 남들이 충실한 말로써 그를 도와주려고 해도
널 위해 하는 말이야.

받아드리지 않으니 끝내 패망한다는 거야.
쯧
쯧...
사람은 반드시 스스로 자신을 업신여긴 뒤에야 남이 그를 업신여기게 된다고 했으니
집안을 자기 스스로 훼손을 시킨 뒤에 남이 그를 훼손시키며, 나라는 반드시 스스로 남을 공격한 뒤에 남이 그를 공격한다고 했어. 모두가 자신에게서 일어난다는 뜻이야.
태갑이 말하기를 "하늘이 내리는 재앙은 오히려 피할 수 있지만
번쩍
피했다
쾅
스스로 지은 재앙은 피하여 살 수 없다." 고 했으니 이를 두고 하는 말이었어.
태갑(太甲)이 누구야?
탕임금의 손자인데
아버지 태정이 일찍 죽는 바람에 탕임금 뒤를 이어 왕이 되었지만
휙
탕임금의 법도를 뒤집어 버렸지.
바둥
탕임금의 제도와 형벌 제도를 파괴하자 당시 이윤(伊尹)은 그를 동 지방으로 쫓아내버렸어.
3년이 지난 뒤 잘못을 뉘우쳐 스스로 잘못을 원망하고 도를 닦아 동쪽 지방에서 3년 동안 어질고 의롭게 살았대.

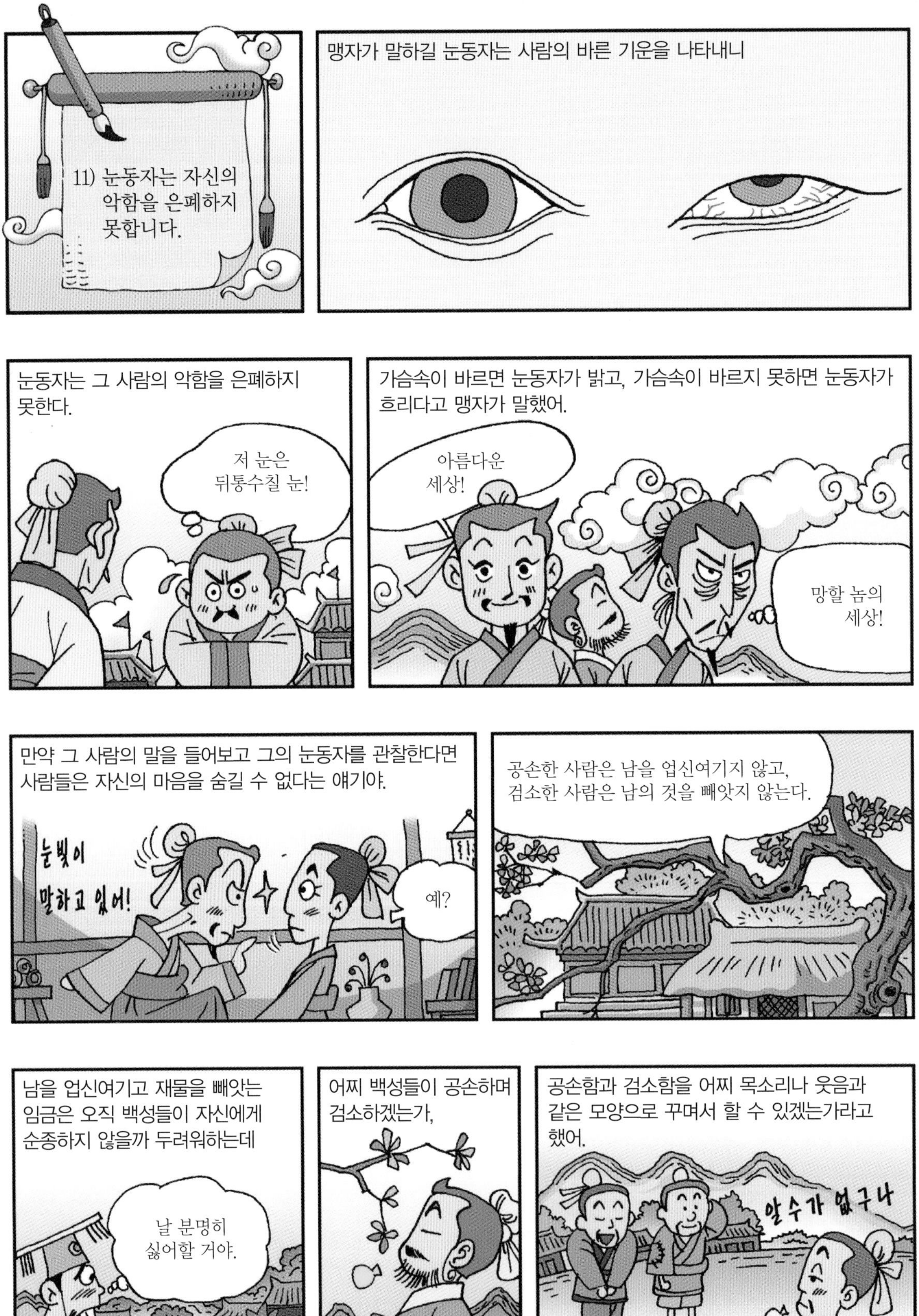
11) 눈동자는 자신의 악함을 은폐하지 못합니다.
맹자가 말하길 눈동자는 사람의 바른 기운을 나타내니
눈동자는 그 사람의 악함을 은폐하지 못한다.
저 눈은 뒤통수칠 눈!
가슴속이 바르면 눈동자가 밝고, 가슴속이 바르지 못하면 눈동자가 흐리다고 맹자가 말했어.
아름다운 세상!
망할 놈의 세상!
만약 그 사람의 말을 들어보고 그의 눈동자를 관찰한다면 사람들은 자신의 마음을 숨길 수 없다는 얘기야.
눈빛이 말하고 있어!
예?
공손한 사람은 남을 업신여기지 않고, 검소한 사람은 남의 것을 빼앗지 않는다.
남을 업신여기고 재물을 빼앗는 임금은 오직 백성들이 자신에게 순종하지 않을까 두려워하는데
날 분명히 싫어할 거야.
어찌 백성들이 공손하며 검소하겠는가,
공손함과 검소함을 어찌 목소리나 웃음과 같은 모양으로 꾸며서 할 수 있겠는가라고 했어.
알 수가 없구나

12) 행하고도
구하지 못하면
자신에게서
구해야 합니다.
맹자는 남을 사랑할 때도 항상 자신을 반성하기를 바랐어.
떡 사세요!
나는 말로만
아내를
사랑하는 건
아닌가?
그는 제자들에게
사람을 사랑해도
친해지지 않거든
그 사랑함을 돌이켜 보고
사람을 다스려도 다스려지지 않거든
그 지혜를 돌이켜보고
얼마나 맞아야
정신을 차리겠어?
내 맘도
모르면서….
사람에게 예의를 표시해도 답례하지 않는다면
그 공경함을 돌이켜 봐야 한다.
하이~
버릇없어!
그리고 행하고서도 얻지 못하면 모두 자신에게서
찾아야 한다고 했어.
자신을 반성해 보는 것만큼 훌륭한
교훈은 없다는 뜻이지.
반성중
공자께서도 "나는 하루에 세 번
내 자신을 반성한다.
스승님
남을 위해 충을 다했는가, 친구와
사귀어 신의를 지켰는가, 배운 것을
남에게 전했는가."라고 했어.

제11장
큰 효자는 종신토록 부모를 사모합니다

1) 편안히 해 주고
백성을 부리면
백성들은 군주를
원망하지
않습니다.

군주가 되어 백성들에게 원망 받지 않는 방법에 대해 맹자가 말하길

편안하게 해 주는 방법으로 백성을 부리면 비록 수고롭더라도 백성들이 원망하지 않으며

살려 주는 방법으로 백성을 죽이면 비록 죽더라도 죽이는 자를 원망하지 않는다고 했어.

쉽게 말해 백성들을 편안하게 해 주고자 한다는 것은 곡식을 파종하고 지붕을 이는 일을 말하는 거야.
백성들이 자기 할 일을 할 수 있도록 해 주는 거지.
군주가 그렇게 백성을 부리면
백성들은 그 군주를 원망하지 않는다는 뜻이야.
와아
사랑해
또 백성을 살리고자 함은
해로움과 독을 끼치는 사람을 없애고, 악한 자를 없애는 것을 말하는데
쑥
쑥
군주가 백성을 위하여 그렇게 한다면 백성들이 죽는 한이 있더라도 그 군주를 원망하지 않는다는 뜻이야.
군주가 앞장선 일이 정의를 위한 떳떳하고 자랑스런 일이었기에
그런 군주를 따르다가 죽더라도 원망하기보다는 장렬한 죽음을 자랑스러워하지.
흐흐흐흑

2) 세속에서 부모에게 불효하는 일이 다섯 가지입니다.
제자 공도자가 같은 문도인 광장에 대해 맹자에게 묻기를
온 나라 사람들이 광장을 보고 모두 불효한다고 합니다.
그런데도 스승님은 그와 말씀하시길 좋아하시고 또 예우도 하시니 어째서입니까?
푸하하하
맹자가 대답했어.
세속에서 불효라는 것은 다섯 가지이다.
첫째, 팔다리를 게을리해 부모를 돌보지 않음이요,
저도 힘들어요
얘야 너무 무겁구나
둘째, 장기와 바둑을 두며 술 마시기를 좋아해 그 부모를 돌보지 않음이요,
배고프구나
바빠요.
장이야!
딱!
셋째, 재물을 좋아하며 처자만 돌보아 부모를 봉양하지 않음이요,
우린 이제 부자다!!
우리만 큰 집으로 이사 가요?!
넷째, 귀와 눈이 하고자 하는 대로 하다가 부모를 욕되게 함이요,
다섯째가 용맹을 좋아하고 싸우며 부모를 위태롭게 하는 것인데
실전 칼싸움 해요
광장이 이중에 한 가지라도 해당하는 것이 있냐고 물으니, 공도자가 대답을 하지 못했다고 해.
우리도 끝이 없는 어버이 은혜에 감사하며 마땅히 자식된 자로서 효도하는 것을 게을리하지 말아야 해.

3) 너희들이 어찌 스승님의 뜻을 알겠느냐?
맹자가 어느 날 제자들에게 증자와 자사의 도에 대해 말했어.
증자가 무성이라는 고을에 있을 때 월나라의 침략이 있었다.
와
와
그때 어떤 사람이 증자에게 말하길
침략군이 도착하니 빨리 떠나세요!
이에 증자는
내 방에 사람을 붙여 두어 섶*과 나무를 헐게 하거나 상하게 하지 말도록 하라.
하고 말한 뒤 피난을 떠났어.

*섶 – 누에가 올라가 고치를 짓도록 마련해 주는 짚이나 잎나무

나중에 적군이 물러간 뒤 증자가 피난처에서 돌아오자
주위의 사람들이 증자에게 말하길
무성 고을의 대부께서 선생님을 대하기를 충성스럽고 공경스럽게 했는데
어찌 적군이 이르자 고을 대부를 내버려 두고 혼자 먼저 떠나가시어

백성들로 하여금 그와 같은 행동을 바라보고 본받게 하시고

따라와~
또 적군이 물러가자 곧바로 돌아오시니 이는 옳지 않는 것 같습니다!
그러자 제자 중에서 심유행이라는 사람이 말했어.
너희들이 어찌 스승님의 뜻을 알겠느냐?
그는 증자가 과거에 겪었던 일화를 얘기했어.
옛날에 증자가 일찍이 심유씨 집에 머물렀는데
부추라는 사람이 난을 일으켜 심유씨를 공격하자 온 마을에 재앙이 일어났어.
!
부추의 난
그때 증자는 제자들을 거느리고 피신했는데 따르는 사람이 70명이 되었고
한 사람도 마을에 남아 부추의 난에 참여한 자가 없었어.
뭐가 이렇게 썰렁해?
결국 증자가 제자들을 데리고 떠나 제자 중 한 사람도 난에 휩쓸려 끌려가서 악한 곳으로 빠진 사람이 없음을 말하고 있는 거야.
그렇게 깊은 뜻이?!

이어서 자사의 일을 얘기했는데
자사가 위나라에 있었을 때 제나라의 침략이 있었어.
와아
제
와
쳐라!
위
어떤 사람이 자사에게 묻기를, 적군이 침략해 오는데 어찌 떠나가지 않느냐고 하자
빨랑 도망 가요~
자사가 말했어.
내가 만일 떠나가면 임금께서 누구와 더불어 나라를 지키겠는가!
맹자가 제자들에게 두 분의 도에 대해 평가하길
증자와 자사의 도가 같으나 증자는 스승이며 부형이었고
자사는 신하이며 미천했다.
증자와 자사가 만약 처지를 바꾼다면 모두 다 그러했을 것이다.
군자의 마음은 이로움과 해로움에 관계하지 않고, 오직 옳은 것을 할 뿐이라고 했어.
옛 성현들은 말씀과 행동이 모두 똑같지 않지만, 올바름을 추구하는 것은 모두 같은 것 같아.
끄덕

4) 아내와 첩이
그가 하는 일을
보고 부끄러워
했습니다.
제나라 사람 중에 처와 첩을 거느리고 사는 사람이 있었어.
그런데 그는 밖에 나가면 항상 술과 고기를 배불리 먹고 들어오는 거야.
꺼어억…
하루는 그의 아내가 누구와 음식을 먹었는지 물었어.
남편은 그저 부귀한 사람들과 먹었다고만 말했어.
아내와 첩은 이상하다고 느껴 남편 몰래 미행하기로 결심을 했어.
속닥
속닥
어느 날 남편이 외출을 하자 아내와 첩은 몰래 뒤따라갔어.
쏙
남편은 온종일 장안을 배회했으나 만나서 얘기하는 사람이 없었어.
기웃
기웃
그러다가 마침내 동쪽 성곽 끝에 있는 북망산 무덤 사이에서 제사를 지내는 곳으로 가는 거야.

그곳에서 이리저리 다니며 제사 지내고 남은 음식을 얻어먹고 있는 것을 봤어.
그 아내와 첩은 집으로 돌아와 서로 끌어안고 한없이 울었어.
한평생을 우러러봐야 할 남편의 모양새가 그 모양이니 오죽했겠어.
히죽
이런 사정도 모르는 남편은 의기양양하게 밖에서 돌아와서 그의 아내와 첩을 교만하게 대했어.
흥!
어흠!
척
척
척
맹자는 제자들에게 부끄러움과 수치스러움에 대해 말했어.
군자의 입장에서 본다면 지금 사람들 중에도
와아….
부귀와 영화를 구하는 자들의 아내와 첩이 남편의 하는 일을 보면 부끄러워하여 우는 사람이 많을 것이다.
흐흑….
즉, 지금 부귀를 구하는 자들이 모두 부정한 방법으로 하고 있으니

마치 어두운 밤중에 애걸하여 재물과 명예를 구하고서는
아부… 아부…
밝은 대낮에 사람들 앞에서 교만하게 구는 것과 같다고 할 수 있지.
어흠!
맹자가 살던 시대와 우리가 살고 있는 시대는 별 차이가 없어.
예나 지금이나….
부정부패
사과
그 당시도 부정한 방법으로 재물을 구하고자 했으며 우리가 살고 있는 지금도 마찬가지이지.
누구…?
어허…
부정빌딩
주) 부패
시대가 바뀌어도 사람들의 욕심은 똑같은 것 같아.
골프 칠까?
로또 맞은 삼식이 아냐!
그렇기에 옛날 성현들의 도가 우리가 살고 있는 이 시대에도 절실히 필요한 거지.
관심없어
도를 아십니까?
어진 위정자들이 많이 나와서 백성들을 잘 다스려서 편안하고 살기 좋은 세상을 만들었으면 좋겠어.
동감이야!

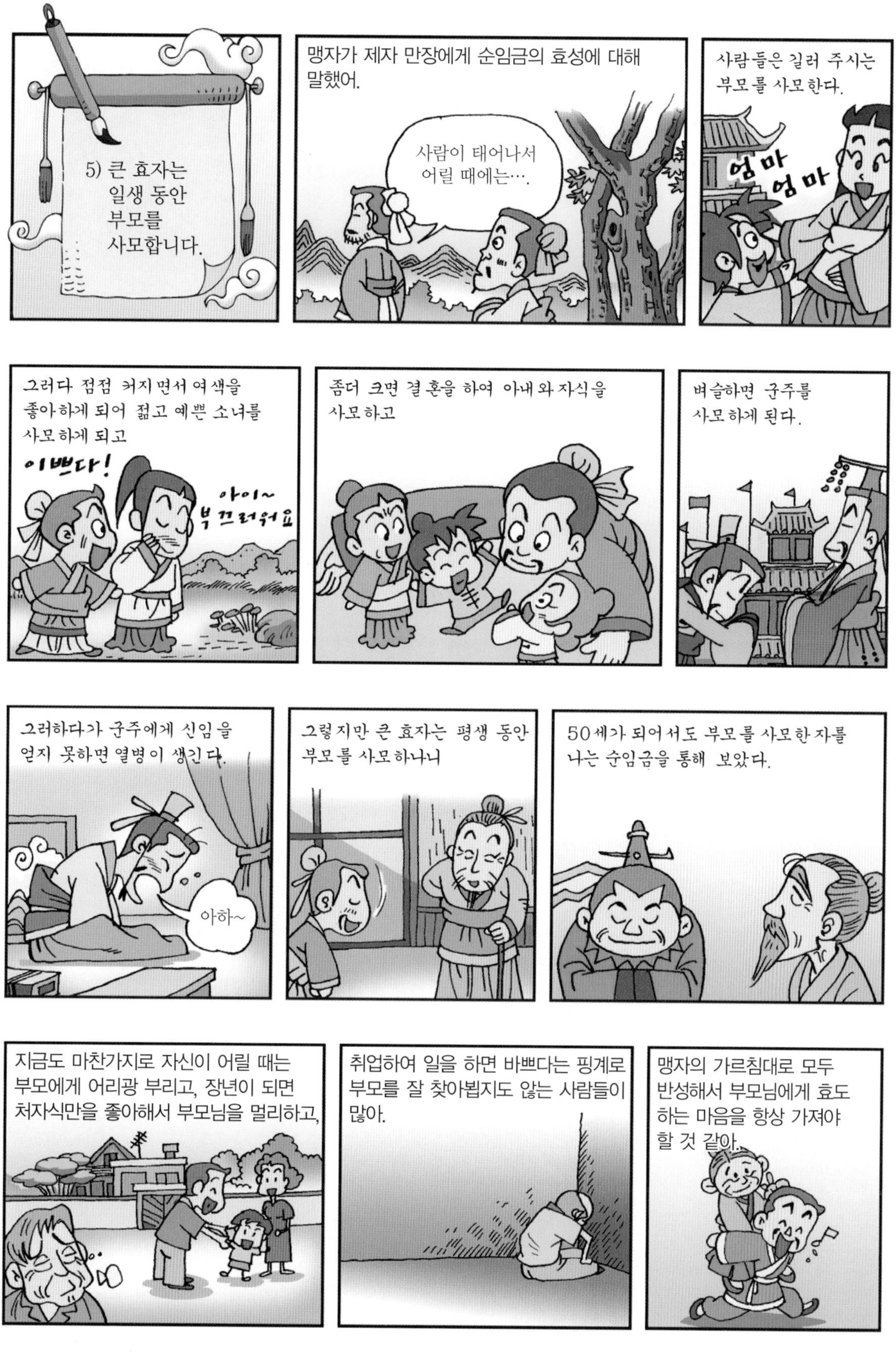
5) 큰 효자는
일생 동안
부모를
사모합니다.
맹자가 제자 만장에게 순임금의 효성에 대해 말했어.
사람이 태어나서 어릴 때에는….
사람들은 길러 주시는 부모를 사모한다.
엄마 엄마
그러다 점점 커지면서 여색을 좋아하게 되어 젊고 예쁜 소녀를 사모하게 되고
이쁘다!
아이~ 부끄러워요
좀더 크면 결혼을 하여 아내와 자식을 사모하고
벼슬하면 군주를 사모하게 된다.
그러하다가 군주에게 신임을 얻지 못하면 열병이 생긴다.
아하~
그렇지만 큰 효자는 평생 동안 부모를 사모하나니
50세가 되어서도 부모를 사모한 자를 나는 순임금을 통해 보았다.
지금도 마찬가지로 자신이 어릴 때는 부모에게 어리광 부리고, 장년이 되면 처자식만을 좋아해서 부모님을 멀리하고,
취업하여 일을 하면 바쁘다는 핑계로 부모를 잘 찾아뵙지도 않는 사람들이 많아.
맹자의 가르침대로 모두 반성해서 부모님에게 효도 하는 마음을 항상 가져야 할 것 같아.

6) 어찌 이 군주로 하여금 요순과 같은 군주를 만드는 것만 하겠습니까.
만장이 맹자에게 물었어.
사람들이 말하기를….
이윤이 고기를 베어 요리하여 탕왕에게 등용되기를 요구했다니 그런 일이 있었습니까?
탁탁탁
만장의 물음에 맹자는
그렇지 않다!
옛날에 이윤(伊尹)이 요순의 도를 좋아해 신(莘)나라의 들에서 밭을 갈고 있었어.
그는 의가 아니고 도가 아니면 천하로 녹을 주더라도 돌아보지 않았어.
의가 아니고 도가 아니면 지푸라기 하나도 남에게 주지 않았으며
좀 줘!
없어욧!
또 남에게서 받지도 않았어.
꿋꿋
하루는 탕(蕩)왕이 사람을 보내 그를 등용하겠다고 했어.

하지만 그는 가지 않았어.
어찌 밭을 갈면서 요순의 도를 즐기는 것만 하겠는가?
탕왕이 이윤에게 세 번이나 사람을 보내 초빙했어.
힘들어!
왔다 갔다
요순의 도를 즐기기보다는 요순과 같은 군주를 만드는 것만 하겠는가?
드.. 드디어!
그는 그렇게 말하면서 비로소 조정으로 왔던 거야.
이윤은 평소에 하찮은 백성들이라고 할지라도 요순의 혜택을 입지 못하는 자가 있으면
배고파~
마치 자신이 그들을 도랑 가운데로 들어가게 한 것처럼 느꼈다고 해.
아~ 내가 할 수 있는 게 무엇인가?
백성을 사랑하는 마음이 그토록 깊었기에 결국 탕왕을 도와서 하나라를 정벌해 백성들을 구한 거야.
《사기》의 〈은본기〉를 보면
사기
이윤이 탕왕에게 도를 행하여 훌륭한 군자로 만들고자 했으나 방법이 없자
취한다~
신(莘)나라에서 잉신*이 되어
끙 끙...
솥과 도마를 지고 탕왕 곁에 가서 맛있는 음식으로 그를 설득해
왕도에 이르게 했다고 전해져.
진격 하라!

*잉신 – 시집 오는 부인을 따라온 신하.

7) 벗은 그 덕을 벗하는 것입니다.
만장이 맹자에게 묻기를
감히 벗에 대해 묻습니다.
이에 맹자는
벗이란 나이가 많음을 믿지 않고 귀함을 믿지 않고 형제간을 믿지 않고 벗하는 것이다.
만장이 다시 물었어.
스승님, 그럼 무엇으로 사귀나요?
벗은 그 덕을 벗하는 것이니
믿음이 있어서는 안 된다.
이상하네. 믿음이 있으면 왜 안 될까?
지금의 표현으로는 좋은 뜻이지만
맹자가 말하는 믿음의 뜻은 자기가 우월하다고 으시대는 거야.
가진 건 돈밖에 없어!
쳇!
일찍이 노나라에 대부 맹헌자라는 사람이 있었어.
벼슬이 대부(大夫) 정도 되면 집안 세력이 막강한 사람이었지.
헴!

그에게는 벗이 다섯 명 있었는데
이들은 벗할 때에 자기 집안을 전혀 의식하지 않았던 사람들이야.
머리 좋죠?
만약 다섯 사람들 가운데 맹헌자의 집안을 의식하고 만났던 사람이 있었다면
뜨악~!
맹헌자는 그와 벗하지 않았을 것이라고 했어.
큰 그릇이 아냐….
휘이잉
내가 뭘?
또 진(晉)나라의 평공도 그랬다고 해.
그 나라에 해당이라는 현자가 있었는데
가끔 평공이 해당의 집에 찾아갈 때 해당이 들어오라고 할 때만 들어갔고
앉으라고 말해야 그제야 앉았으며

음식 또한 먹으라고 말해야
먹었다고 해.
꿀꺽
비록 거친 밥과 나물국이라도 감히
배불리 먹지 않을 수가 없었어.
달그락 달그락
냠
냠
바로 해당이라는 사람의 말씀을
공경한 것이지.
다시 말하면 평공은 자신이 한 나라의 왕으로 현자를
높이는 것이 아니라
선비된 입장에서 현자를 높였어.
벗을 사귀는데도 집안 형편을
보고 사귀는 것이 오늘날 우리의
현실이야.
유유상종하며 끼리끼리 어울리지.
이번에 차 새로 바꿨어.
벌써 몇 번째야?
과연 그런 마음가짐으로 평생 벗다운
벗을 사귈 수 있을까?
이로움 때문에 사귄 벗은 이익이
없어지면 멀어지고
내놔!
못 줘!
퍽
퍽
힘으로 사귄 벗은 힘이 약해지면
멀어진다고 했어.
아직 더 싸울 수 있다고
맹자의 말은, 벗은 그 덕으로
벗하는 것이지 외모나 배경이
아니라는 뜻이야.

8) 존귀한 사람이 물건을 주거든 받으십시오.
만장이 다시 물었어.
교제는 무슨 마음으로 해야 합니까?
맹자는 "공손함이다!"라고 답했어.
예물을 받지 않고 되돌려 보내는 것이 공손하지 못하다고 하는 것은 어째서입니까?
존귀한 사람이 물건을 주거든
받는 사람은 그 물건에 대하여 그가 이것을 취하는 것이
?
의(義)에 맞았는지 의에 맞지 않았는지를 생각해 의에 맞은 뒤에야 받는다.
감사합니다.
그러나 의에 맞는데도 받지 않는 것은 공손치 못한 것이다.

도(道)로 사귀고 예(禮)로 만나면, 이는 공자도 받으셨다.
도로 준다고 함은 노잣돈으로 주고
신변을 보호하는 비용으로 주고
주거니
받거니
기아를 구제해 주는 것 같은 것이야.
만장이 다시 물었어.
그럼, 강도짓을 한 사람과 사귈 때 도로 하고 예로 어떤 것을 준다면
강도질한 물건을 받을 수 있습니까?
맹자가 답하길
받을 수 없다.
《주서(周書)》의 강고(康告)편에 나오는 얘기인데 '사람을 죽이고 재화를 취해도
죽음을 눈썹 하나 까닥하지 않는 사람은 모든 사람들이 원망하는 사람이다.' 고 했으니
'이는 바로 죽여야 할 자이니, 어찌 받을 수 있겠는가.' 라고 했다.

9) 반복해도 듣지 않으면 떠나가는 것입니다.
제 선왕이 맹자에게 경(卿)에 대해 물었어.
'경'은 대신을 가리키는 말이야.
맹자는 왕이 어떤 경에 대해 묻는지 되물었어.
왕이 "경은 같지 않습니까?" 물으니
맹자가 그렇지 않다고 대답했어.
경에는 귀척(貴戚)의 경이 있으며 이성(異姓)의 경이 있습니다.
왕이 먼저 귀척의 경에 대해 물으니
맹자가 대답했어.
군주가 큰 잘못이 있으면 간(諫)하고
반복해도 듣지 않으면 군주를 바꿉니다.
꺼져!
뻥
하니 왕이 갑자기 얼굴을 붉혔어.

왕의 얼굴빛이 안정되자 이성(異姓)의 경에 대해서도 물었지.
군주의 잘못이 있으면 간하고 반복해도 듣지 않으면 떠나가는 것입니다.
한잔 하고 가~
비틀
이는 대신들 중에 친척도 있을 수 있고, 그렇지 않은 사람들이 있기에 이렇게 구분한 거야.
두 부류의 의리는 차이가 있는데
자장면!
난 짬뽕!
대신들 중에 친척인 사람은 왕의 작은 잘못을 간하긴 하지만
이러쿵 저러쿵 …
…
군주가 큰 잘못을 했을 때 간해도 듣지 않는다면 왕을 바꿀 수 있다는 얘기야.
나가!
이와 달리 친척이 아닌 대신은 왕의 큰 잘못을 간하긴 하지만
이래서… 저래서..
…
군주가 작은 잘못을 했을 때 간하여 듣지 않으면 떠날 수 있다는 점이 다르지.
떠날 때가 온 거야

10) 구하면 얻고
버리면
잃습니다.
구하면 얻고 버리면
잃으니….
구하는 것은 얻음으로써
반드시 나에게 유익함이 있으니
바로 자신이 가지고 있는 것을 구하기 때문이다.
자신에게 있다는 것은 인의예지
(仁義禮智) 같은 성품으로
그것은 태어나면서부터 몸속에
갖춰져 있으니 그것을 끄집어내어
응애 응애
더욱 넓혀서 자신이 가지고 있는
것을 구한다고 말했어.
어찌해야
좋겠습니까?
자신의 몸을 돌이켜 보아 성실하면 즐거움이
아주 크고
해답을
얻었다!
자신의 몸을 돌이켜 보아 성실하지 못하면
나는
잘하고
있는가?

아직도 사사로운 마음이 남아 있다는 뜻이야.
용서를 힘써서 행하면 어진 마음을 가지기가 쉬워지고
괜찮아~
사사로운 마음을 뒤로 미루고 남의 마음을 앞세우면
먼저….
마음이 공정해지고 옳고 바름의 이치를 얻을 수 있다는 거야.
사람은 부끄러움이 없어서는 안 되는데, 부끄러움이 없음을 부끄러워한다면
?
아이~ 창피…
치욕스러운 일이 일어나지 않을 거야.
대단한 분!
존경스러워!
오!
부끄러움은 사람에게 매우 중요해.
부끄러운 짓을 했구나..
부끄러움은 사람이 가지고 있는 수오지심(羞惡之心)이야.
…
반성중!
잘못에 대해 부끄러워하는 마음과 의롭지 못한 것을 미워하는 마음을 가진 사람은
빡
아이고~
성현에 나아갈 수 있고 그것을 잃으면 금수(禽獸)가 된다는 뜻이야.
크르릉…
금수란 날짐승과 들짐승을 가리키지.
높이 나는 새가 멀리 본다!

11) 뜻은 크지만
선생의 명분으로
불가합니다.
송경이 초나라로 가려던 중에 맹자가 그를 만나 물었어.
!
선생께서는 어디로 가려고 하십니까?
송경이 대답했어.
내 들으니 진나라와 초나라가 서로 전쟁을 하려고 한다 하니
초나라 왕을 만나서 그를 설득해 싸움을 그만두게 하되
초나라 왕이 내 말을 듣지 않으면 진나라 왕을 만나
진나라
그를 설득해 싸움을 그만두게 할 것이다.
설득 설득..
두 왕 중에는 내 뜻을 받아들이는 사람이 있을 것이다.
나, 이런 사람 이야!!
두 왕을 만나 어떻게 할 것인지 상세한 것은 묻지 않겠습니다.

그러나 그 취지를 듣기 원하오니,
장차 어떻게 설득하시렵니까?
송경이 대답했어.
두 나라 모두
이익되지 않는다는 것을
말하려 하노라.
이에 맹자는
선생의 뜻은 크지만
그 명분으로는
불가능합니다.
선생께서 이익을 가지고
진나라 왕과 초나라 왕을
설득하면
두 왕들이 이익을 좋아해
삼군의 군대를 파견할 것이고
진격하라!
와아~
삼군의 군사들은 스스로 파견된 것을 즐거워하고
또한 이익됨이 있음을 좋아할 것입니다.
여기서 삼군(三軍)이란
좌군 · 중군 · 우군으로
편성한 전체의 군대를
말해.
좌
중
우
만약 신하 된 자가 이익을 생각해
군주를 섬기고
돈이나 챙기자!
자식이 이익을 생각해
그 부모를 섬기며
유흥비도
없는데….
방세도
없는데…
아우된 자가 이익을 생각해
형을 섬긴다면

이는 군신과 부자와 형제가 마침내
인의(仁義)를 버리고 이익만 생각해 서로를
대하는 것이니
꽝
이익
이렇게 해서 망하지 않은
사람은 없습니다.
폭삭
그러므로 맹자는 두 왕을
설득할 수 없음을 말했어.
맹자는 송경에게 인의(仁義)를 가지고 두 왕을
설득할 것을 권했어.
仁
義
仁
義
!
인의를 가지고 진나라 왕과 초나라 왕을 설득하면
두 왕들이 인의를 좋아해 삼군(三軍)의 군대를
파견할 것이니
이는 삼군의 군사들이 파견된 것을 즐거워하되
인의를 좋아하는 것입니다.
신하가 인의를 생각해
그 군주를 섬기며
자식이 인의를 생각해
그 부모를 섬기며
아우가 인의를 생각해 그 형을
섬긴다면
아우
형님
이는 군신과 부자와 형제가 이익을
버리고 인의를 생각해 서로 대하는
것이니
이렇게 해서 왕 노릇을 하지 못하는
자는 없습니다.

제12장
선한 본성은 물이 아래로 내려가는 것과 같습니다
1) 선한 본성은 물이 아래로 내려가는 것과 같습니다.
하루는 고자(告子)가 맹자에게 말했어.
본성은 개울물과 같다.
이것을 동쪽으로 터놓으면 동쪽으로 흐르고
서쪽으로 터놓으면 서쪽으로 흐른다.
본성에는 선과 악의 구분이 없는데

마치 물이 터놓은 쪽으로 흘러가는 것처럼
구분할 수 없는 것과 같다.
이에 맹자가 고자에게 반박했어.
물은 동쪽과 서쪽이 다르지 않는데
위쪽과 아래쪽은 분별이 있으니, 본성의 선함은 물이 아래로 내려가는 것과 같다.
그래서 사람은 선하지 않는 사람이 없으며 물은 아래로 내려가지 않는 것이 없다.
물이 위에서 아래로 흐르듯이, 사람의 본성은 태어날 때부터 선하다고 한 거야.
응애 응애
하지만 고자는 사람의 성품은 본래 인의가 없어서 반드시 바로잡고 고쳐지기를 기다린 뒤에 이루어진다고 했어.
사람은 악하게 태어난다는 순자의 성악설과 비슷한 것 같아.
순자
性惡說
고자는 전국시대 철학자로 이름은 불해(不害)라고 했는데
고자
不害
맹자와 논쟁을 많이 했는데 사람의 본성은 선하지도 악하지도 않다고 주장했어.

2) 소의 성품이 사람의 성품과 같단 말입니까?
고자가 맹자에게 말했어.
지각(知覺)하고 움직이는 본능을 성품(性品)이라고 한다.
이에 맹자는
지각하고 움직이는 본능을 성품이라 함은
흰색을 흰색이라고 이르는 것과 같은 것인가?
그러하다.
맹자가 고자에게 다시 물었어.
흰색 깃털의 흰색이 흰 눈의 흰색과 같으며
"흰 눈의 흰색이 흰 구슬의 흰색과 같은 것인가?" 하니 고자가 그렇다고 했어.
고자의 생각은 모든 물건의 흰색들은 똑같이 흰색이라 이르고 차별이 없다는 말과 같았어.
전부 흰색이잖아
물감
맹자가 "그렇다면 개의 성품이 소의 성품과 같으며, 소의 성품이 사람의 성품하고 같단 말인가?" 하니
음매
왈
고자는 스스로 말한 것이 틀렸음을 알고 말을 못했어.
띵!
훗날 주자(朱子)가 이에 대해 이렇게 정리했어.
성품은 사람이 하늘에서 얻은 천리(天理)이고
음애
사람이 지각하고 움직이는 것은 사람이 하늘에서 얻는 기운(氣運)이다.

3) 도끼와 자귀*를 가지고 나무를 베는 것과 같습니다.
맹자가 사람의 성품에 대해 비유적으로 말하길
옛날 제나라 동남쪽에 우산(牛山)이라는 곳이 있었는데

*자귀 – 나무를 깎아 다듬는 연장.

우산에는 나무가 많고 아름다웠는데
제나라 수도에서 멀리 떨어져 있기 때문에 사람들이 매일 도끼와 자귀로 나무를 베어 버렸던 거야.
그토록 아름답던 우산에 나무들이 모두 없어져 버려서 민둥산이 되어 버렸어.
썰~ 렁
밤이 되면 보슬비와 이슬이 대지를 적셔 싹이 나왔지만
그곳에 소와 양들을 방목하니 초목마저 깨끗하게 없어지게 된 거야.
냠
냠
냠
사람들이 그 민둥한 모습만 보고 이곳에는 일찍이 훌륭한 재목이 전혀 있지 않았다고 생각했어.
이것이 어찌 우산의 본래 성품이겠는가?

이 말은 사람들이 본래 인의의 마음을 모두 가지고 있지만
응애 응애
그 양심을 잃은 것은 도끼와 자귀로 나무를 아침마다 베는 것과 같으니,
넌 양심도 없냐?
흥!
사람들이 낮에 잘못된 행동을 반복하면
내 뼈다귀야!
깽깽
밤이 되어 그 잘못을 뉘우치더라도 잘못이 고쳐지지 않으니
죽을래?
반성할래
결국은 금수와 같아진다고 했어.
크르르르…
그래서 사람들은 금수와 같은 면을 보고서 일찍이 훌륭한 인재가 있지 않았다고 하니
짐승보다 못한 놈!
뭐시?
어찌 우산(牛山)의 상황과 다를 바가 있겠다고 하겠니?
결국 사람은 태어나면서 받은 착한 본성을 잘 기르도록 매일 힘써야 한다는 뜻이야.

4) 정직한 사람은 사악한 사람을 이기지 못합니다.
맹자가 제자들에게 말했어.
제나라 선왕이 지혜롭지 못함을 이상하게 여길 필요가 없구나!
선왕이 나라를 다스리는 데에 별 업적이 없으며
일 처리가 경솔하고 신하들의 말을 너무 쉽게 믿는 것을 보고 한 말이야.
속닥 속닥
그래?
맹자가 말하길, 천하에 쉽게 자라는 초목이 있더라도
하루 동안 햇볕을 쪼이고 열흘 동안 춥게 하면 잘 자라게 되겠는가?
휘이잉
내가 선왕을 뵈는 것이 드물고
비록 뵙고 좋은 덕담을 나누었다 할지라도
물러 나오기가 바쁘게 주변에서 선왕의 마음을 흔들어 놓는 사람들이 있으니, 내가 어떻게 할 수 있겠는가?
재랑 놀지 마세요!
아~

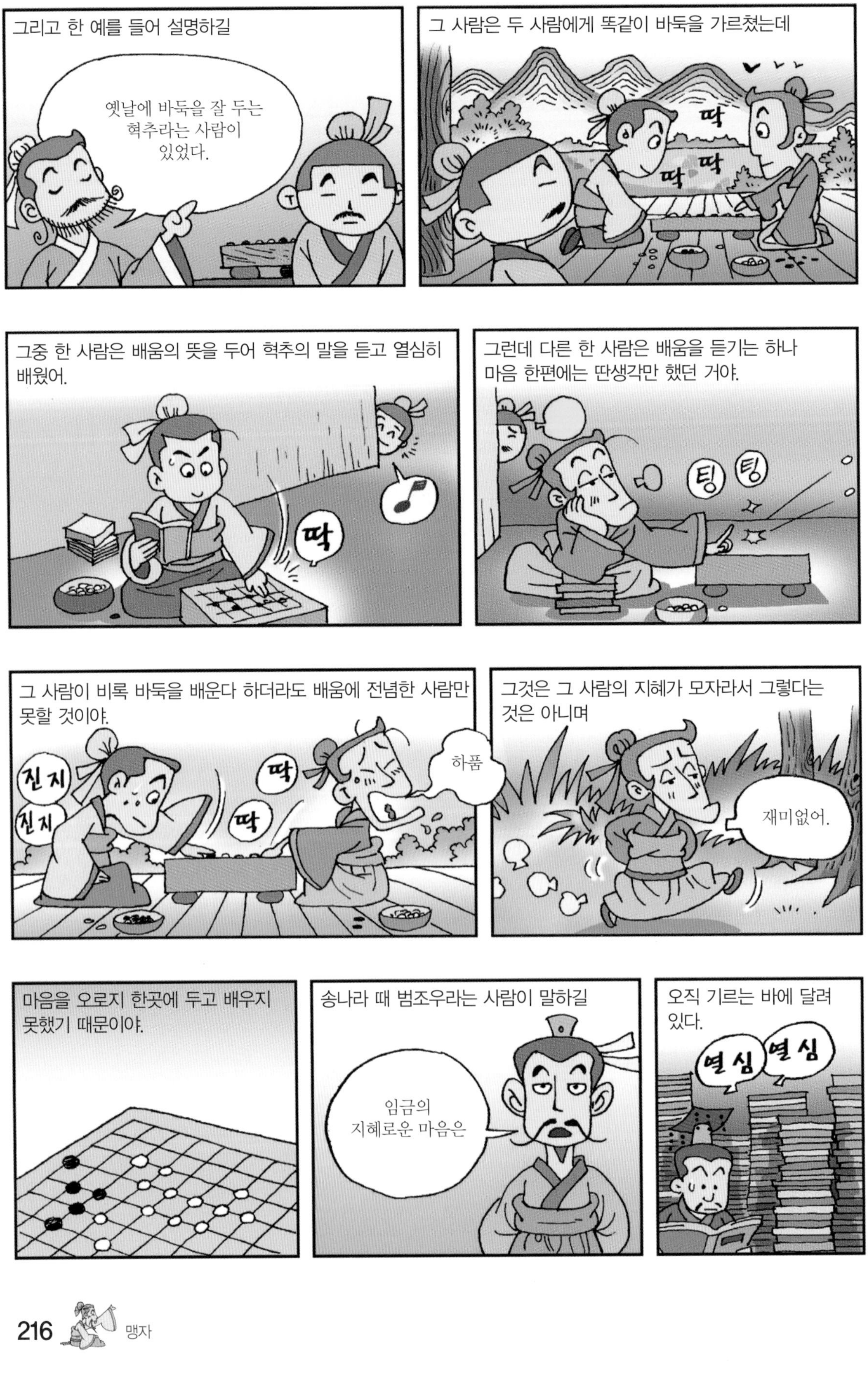
그리고 한 예를 들어 설명하길
옛날에 바둑을 잘 두는 혁추라는 사람이 있었다.
그 사람은 두 사람에게 똑같이 바둑을 가르쳤는데
딱
딱
딱
그중 한 사람은 배움의 뜻을 두어 혁추의 말을 듣고 열심히 배웠어.
딱
그런데 다른 한 사람은 배움을 듣기는 하나 마음 한편에는 딴생각만 했던 거야.
팅
팅
그 사람이 비록 바둑을 배운다 하더라도 배움에 전념한 사람만 못할 것이야.
진지
진지
딱
딱
하품
그것은 그 사람의 지혜가 모자라서 그렇다는 것은 아니며
재미없어.
마음을 오로지 한곳에 두고 배우지 못했기 때문이야.
송나라 때 범조우라는 사람이 말하길
임금의 지혜로운 마음은
오직 기르는 바에 달려 있다.
열심
열심

군자가 착함을 기르면 지혜로워지고
소인이 악함을 기르면 어리석어진다고 했어.
히히히~
제발 그만 좀 괴롭혀!
어진 사람과는 같이 행동하기가 너무나 힘들기에 멀어지기 쉽고
같이 행동하기가 쉬운 소인과는 친근하기가 쉬워진다고 했어.
내 체질이야!
그래서 어진 사람이 소인을 이길 수 없고
小人
정직한 사람이 사악한 사람을 이기지 못한다고 했어.
휘이잉
아… 아….
즉, 왕이 지혜롭지 못한 까닭은
까악 까악
아마도 제나라 조정에 소인배들이 많았기 때문이었을 거야.
그래서 맹자도 뒤로 물러난 거야.

5) 물고기를 버리고 곰발바닥을 취하겠습니다.
맹자가 이렇게 말했어.
물고기도 내가 원하는 바요, 곰발바닥도 내가 원하는 바이지만
이 두 가지를 모두 얻을 수 없을 땐 물고기를 버리고 더 맛있는 곰발바닥을 취하겠다.
턱
삶도 내가 원하는 바요, 의도 내가 원하는 바이지만
이 두 가지를 얻을 수 없을 때는 삶을 버리고 의를 취하겠다.
맹자는 삶도 내가 원하는 바이지만, 삶보다는 더욱 중요한 것이 있으면
삶을 구차히 얻으려고 하지 않는다는 뜻이야.
넣어 봐!
바꾸어 말하면 죽음도 내가 싫어하는 바이지만, 죽음보다 더 싫은 것은 내 양심을 파는 것이기에
양심

떳떳한 의리의 양심을 택해 기꺼이 죽을 수 있다는 거지.
사람마다 이러한 마음을 다 가지고 있다고 해.
평민
군자
신하
왕
다만 현자는 능히 이것을 잃어버리지 않는다고 했어.
대단한 분이야
가령 한 그릇의 밥을 얻으면 살고, 얻지 못하면 죽더라도
아~
주는 사람이 혀를 끌끌 차고 꾸짖으면서 밥을 주면 길 가는 사람도 받지 않으며,
밥 줄게. 짖어 봐~
발로 차며 밥을 주면 걸인도 싫어하지.
뻥
비록 배고프더라도 주는 사람의 무례함을 싫어해서
뭘 봐?
차라리 죽을지언정 받아먹지 않는 사람이 있어.
이것을 맹자는 부끄러워하는 마음과 잘못에 대해 미워하는 마음
즉 수오(羞惡)의 본래 마음이라 했어.

6) 사람의 몸을 기르는 것은 음식이 아니라 마음입니다.
맹자가 제자들에게 몸에는 귀(貴)하고 천(賤)한 것과
작고(小) 큰(大) 것이 있다고 말했어.
천하고 작은 것은 입(口)과 배(腹)이고
불룩
귀하고 큰 것은 마음(心)과 뜻(志)인데
心
志
천하고 작은 것으로 귀하고 큰 것을 해치지 말라고 했어.
그리고 작은 것을 기르는 사람은 소인(小人)이고
큰 것을 기르는 사람은 대인(大人)이라고 했어.
음식을 보고 탐욕스러워 하는 사람을 가리켜 천하게 여긴다고 하는 것은 아마 소인이기 때문일 거야.
그러므로 작은 것(먹고 마시는 것)을 좋아하면
으앙~ 뭘 먼저 먹지~

큰 것(마음과 뜻)을 잃어버린다는 거야.
뭐가 이리 허전하지?
사람의 몸을 기르는 것은 음식이 아니라 마음이라고 했어.
드세요!
음식으로 마음을 해치지 말아야 한다는 거야.
어렵네. 대인과 소인에 대해 좀 더 얘기해 줘.
대인은 대체(大體)를 따르는 사람인데 대체란 '마음'을 말하는 거야.
마음에 따라 움직인다는 얘기지.
의리에 비춰 봐서 올바르게 생각되면 행동한다는 거야.
찍 찍 찍
쉬야 좀 놔야겠어.
그러나 소인은 소체(小體)를 따르는 사람인데
배고파!
소체란 '귀와 눈'과 같은 것을 말하는 것으로
속닥
뭐?! 밥?!!
눈으로 보고 귀로 듣는 것에 따라 경솔하게 자신을 움직인다는 거지.
밥!
절벽! 조심할것

7) 형의 팔을 비틀고 밥을 빼앗아 먹을 수 있습니까?
어느 날 임(任)나라의 어떤 사람이 맹자의 제자 옥려자(屋廬子)를 찾아왔어.
그는 옥려자에게 예(禮)와 음식 중 어느 것이 중요한지 물었어.
옥려자는 예가 더 중요하다고 했어.
禮
그러자 임나라 사람이 예와 색(色) 중 어느 것이 중요한지 물었어.
禮 色
여기서 색이란 여색을 가리키는 말이야.
옥려자가 역시 예가 중요하다고 대답했지.
禮
임나라 사람이 또다시 묻기를 예를 지켜 행동하면 굶어 죽고
꼬로로록~
예를 지키지 않으면 밥을 먹을 수 있는데도 예를 지켜야 하냐고 물었어.
형님~
예를 지키면 아내를 얻기 어렵고 예를 지키지 않으면 아내를 쉽게 얻을 수 있는데도 예를 지켜야 하냐고도 물었어.
나가!
옛날에는 예를 지켜서 아내를 얻는다는 것이 쉬운 일은 아니였지.

그 질문에 옥려자가 대답을 하지 못했어.
우물 쭈물….
다음날 옥려자는 추(鄒)나라에 있는 맹자를 급히 찾아가서 어제 있었던 일을 말했어.
맹자가 모두 다 듣고는 이렇게 말했어.
음….
형의 팔을 비틀고 밥을 빼앗아 먹으면 밥을 먹을 수 있고
내놔!
동생
형의 팔을 비틀지 않으면 밥을 먹을 수 없다면 형의 팔을 비틀겠는가?
냠 냠
또 동쪽 집의 담장을 뛰어넘어 처자(處子)를 끌어오면 아내를 얻고
어머머머!
끌어오지 않으면 아내를 얻을 수 없다면 처자를 끌어오겠는가?
호 호 호
맹자는 아무리 하고 싶은 일이 있더라도 도의(道義)를 저버리고 행동할 수 없다는 것을 말한 거야.
역시!
차라리 굶어 죽었으면 굶어 죽었지, 훔쳐 먹을 수는 없고
꼬르륵?
차라리 아내가 없이 살아도 도의를 저버리고 아내를 얻을 수 없다는 말이야.
바보!
홱!
사람이 도의를 저버리고 사는 것은 금수만도 못하다고 했어.
아~ 우

8) 요순의 도는 효도와 공경함 일뿐이다.
어느 날 조(曹)나라 군주의 아우인 조교(曹交)가 맹자에게 찾아와 물었어.
사람들이 모두 요순(堯舜)이 될 수 있다고 하는데 맞냐고 물었지.
그러하다!
천천히 걸어서 어르신보다 뒤에 가는 것을 공경한다고 하고
빨리 걸어서 어른보다 앞서가는 것을 공경하지 못하다고 하니
탁
에이~ 답답해!
천천히 걸어가는 것이 어찌 사람들이 능히 할 수 없는 바이겠는가?
모두가 하지 않는 것일 뿐이니
요순의 도는 효도와 공경함일 뿐이다.
요순의 도는 크지만 이것을 행하는 것은

걸어가는 것과 멈추는 것을 빨리 하고 천천히 하는 것 사이에 있는 것이지
높아서 행하기 어려운 일이 아니라는 뜻이야.
한 번은 조교가 추나라에 머물면서 맹자에게 수업 받기를 원했어.
그러자 맹자가 조교에게 천천히 일러 주었어.
도는 큰 길과 같으므로
돌아가서 부모님을 섬기고
어른을 공경하는 사이에서 찾는다면 어렵지 않게 구할 수 있다고 했어.
우리들이 날마다 사용하면서 알지 못할 뿐이지만 내 부모, 내 형제, 주위의 어르신과 벗들을 항상 공경하고 사모한다면
그것이 바로 도를 행한다고 한 거야.
스승을 두고 가르침을 받는 것도 중요하지만
우리가 생활하는 가운데 도가 있다는 것을 지적하고 열심히 행하기를 바라는 말인 것 같아.
지금은 선생된 자도 이것을 알지 못하고, 혹 알고 있더라도 행동하지 못하니 맹자가 본다면 그저 한심할 뿐이겠지?
어허….
이 노인네가 정말..

9) 그 사람됨이 선(善)을 좋아합니다.
노(魯)나라 왕이 맹자의 제자 중 악정자(樂正子)로 하여금 정사(政事)를 맡기려고 했어.
이 소식을 전해 들은 맹자가 기뻐서 잠을 이루지 못했대.
히죽
저리도 좋으실까?
그러자 제자들 중에 공손추가 다가와 스승에게 물었어.
악정자는 강합니까?
아니다.
그럼, 지혜와 사려가 깊습니까?
아니다.
그럼 견문과 지식이 많습니까?
아니다.
하니 공손추가 도대체 알 수 없다는 듯이 스승에게 물었어.

그렇다면 어찌하여 스승님이 기뻐서 잠을 이루지 못했냐고 물었어.
맹자는 "그 사람됨이 선(善)을 좋아해서이다!"라고 대답했어.
공손추가 이해가 가는 듯 고개를 끄덕이며 다시 묻기를
선을 좋아하는 것이 정사를 다스리는 데 충분합니까?
선(善)을 좋아하면 천하를 다스리기에도 충분한데
하물며 노나라에 있어서는!
노
악정자의 사람됨이 선(善)을 행하기를 좋아했기에 스승인 맹자도 칭찬을 아끼지 않았어.
짝 짝 짝
아잉~.
평소 선한 행동하기를 좋아하는 사람은 천하를 맡겨도 다스릴 수 있다는 뜻이야.
척
궁으로 가는길
척 척 척
정치를 하고자 함은 힘이 강하다든가, 견문이 넓다든가, 지식이 많다든가, 지혜가 깊다든가 하는 것은
선한 행동을 하고자 하는 마음보다는 앞서지 않는다는 거지.

10) 성현들은 일은 달라도 대처하는 것은 같습니다.
맹자가 제자들에게 말하길
일찍이 우왕(禹王)과 후직(后稷)이 태평한 시절을 만나니
세 번 자기 집 문 앞을 지나면서도 자기 집으로 들어가지 못하자
왔다
갔다
공자가 그들을 어질게 여겼다고 했다.
맹자님 못 봤어?
어디 갔지?
공자의 제자 안회(顔回)가 어지러운 세상을 당해 누추한 골목에 살았는데
당시 다른 사람들은 한 그릇의 밥과 한 그릇의 음료로 살아가는 것을 크게 근심했으나
배고파~
밥 줘, 아빠~
안회 자신은 그것을 즐거움으로 삼았으며
또한 그 즐거움이 변치 않으니 후에 공자가 그를 어질다고 했다.
나의 애제자여!
부끄….

제자들이 맹자에게 물었어.
그럼, 말씀하신 세 분의 도는 어떠합니까?
맹자는 우왕과 후직과 안회는 모두 도(道)가 같다고 했어.
우왕은 천하에 물에 빠진 사람이 있으면
어푸 어푸
마치 자신이 그를 빠뜨린 것처럼 여겨 돌봐 주고
감동!
살아야 하느니라!
푸우
후직은 천하에 굶주리는 사람이 있으면
꼬로록
마치 자신이 그를 굶주리게 한 것처럼 여겼어.
이거 먹고 기운 내!
비록 우왕과 후직은 직책을 맡았기에
자신의 책임으로 급히 구제했지만
어려운 점은 없나?
세 분의 처지가 바뀌었더라도 모두 그렇게 했을 거야.

성현들은 모두 마음이 같고
일은 혹 다르다고 할지라도 대처하는 것은 각각 이치에 맞게 행하니
이것이 바로 모두 같은 것이라고 말했어.
아하!
딱!
그런데 후직(后稷)과 안회(顔回)에 대해 좀 알려 줘.
후직(后稷)은 중국 주왕조(周王朝)의 시조로 일컬어지는 전설 속 인물이야.
백성들에게 농사짓는 법을 가르쳐 줘서 그들을 배부르게 하고 편안하게 살 수 있도록 했다고 해.
안회(顔回)는 춘추시대의 노(魯)나라 사람으로
안연(顔淵)이라고도 하는데, 공자 문하에서 가장 뛰어난 현자(賢者)였다고 해.
인정!
공자는 제자 중에서 학문을 좋아한다고 말할 수 있는 사람은 안회(顔回)뿐이라고 칭찬했대.

11) 인의(仁義)와 충신(忠信)을 행하고 선을 즐거워합니다.
맹자가 말하길
귀(貴)하게 되고자 하는 것은 사람의 똑같은 마음이니
사람마다 각기 귀함이 있건만, 다만 생각하지 않아서 모를 뿐이다.
남(타인)이 내게 귀하게 해 준것은 진정으로 귀함이 아니다.
왜냐하면 남이 귀하게 해 준 것을 남이 능히 천(賤)하게 할 수 있기 때문이다.
흥!
치사하게
남이 귀하게 해 준다고 함은 남이 작위(爵位)를 내 몸에 더해 준 뒤에 귀하게 됨을 말하는데
후에 그것을 빼앗아 가면 천하게 될 수있기에, 그러므로 자신의 귀함으로 귀하게 되어야 한다.
관직도 잃고…
집안도 망하고…
여기서 자신의 귀함이란 인의(仁義)와 충신(忠信)을 행하고
관직 따위에 연연하지 않는다!

선(善)을 행하기를 즐거워하며
몸과 마음을 게을리하지 않는 것이라고 했어.
자 왈
자 왈
만약 자신의 귀함으로 스스로 자신을 귀하게 한다면 남들이 나를 천(賤)하게 할 수 없으니
관직을 맡아 주시오~
그것이 진정한 귀함이라는 얘기야.
웅성웅성
웅성
대단한 분이셔….
존경스러워.
옛날 《시경(詩經)》에서 말하기를 '이미 술로 취하고 덕으로 배불렀다.'는 말이 있어.
詩 經
이 말은 이미 자신의 몸이 인의(仁義)에 충족되었다는 말이야.
그러므로 남들이 먹는 고기와 맛있는 음식은 원하지 않고
다른 사람들이 입고 있는 아름다운 옷을 바라지 않는다는 뜻이지.
번쩍
번쩍
그래서 진정 귀하게 되고자 함은 자신이 인의(仁義)의 덕을 행해야 된다는 것이야.

12) 성인의 마음에 원하고자 하는 것이 이보다 큰 것이 없습니다.
어느 날 맹자가 제자들에게 군자의 즐거움에 대해 말했어.
군자에게는 세 가지 즐거움이 있는데
천하에 왕 노릇함은 여기에 들어 있지 않다.
왕이 뭐 어때서 …쳇
군자의 즐거움에는 왕 노릇 하는 것이 아니라 다음과 같은 것이라고 말했어.
첫째, 부모가 모두 생존해 계시고 형제가 무고한 것이지.
이것은 모든 사람들이 원하는 바이지만, 반드시 얻을 수는 없다는 거야.
살아 생전에 효도할걸….
만약 부모님이 돌아가시고 계시지 않으면
부모님이 살아 계실 때 얻은 그 즐거움으로도 알 만하다고 했어.
어머니…

둘째, 하늘을 우러러 부끄럽지 않고 굽어보아 사람들에게 부끄럽지 않는 것이라고 했어.
한 점 부끄럼이 없도다!
사람들이 자신의 사사로운 욕심을 이기면
우러러 부끄럽지 않고 굽어보아도 부끄럽지 않게 된다는 거야.
뇌물
청탁
유혹
셋째, 천하의 영재를 얻어 가르침을 베푸는 것이라고 했어.
밝고 지혜로운 제자를 두어
자신이 즐거워하는 것을 가지고 그를 가르치는 것이라고 했어.
그래서 자신의 도가 널리 후세에 퍼져 그 혜택이 두루 미치기를 원했던 거야.
맹자도 군자삼락을 즐기면서 오직 그것으로 삶을 영위하지 않았을까 해.

비록 2,500여 년이라는 시간이 흘러갔어도
맹자가 한 말들이 우리들 곁에서 꺼지지 않는 불꽃처럼 남아 있는 것 같아.
21세기를 살아가는 인류에게 아름답고 행복한 삶을 살아갈 수 있는 어떤 희망 메시지가 아닐까 생각해 보며
맹자가 한 말을 여기에서 끝마쳐야 할 것 같아.
孟子
얘기를 좀 두서없이 늘어놓은 것 같지? 미안!
아냐, 마음속에 새겨 두면 생활하는 데 큰 도움이 되는 말들이었어.
부디 몸 건강하고 부모님께 효도하길 바랄게!
그럼! 다시 만날 때까지 안녕!

맥수지탄 고사성어의 유래

중국 고대 왕조인 은나라 주왕(紂王)은 술과 여자에 빠져 백성들에게 폭정을 일삼았어요. 그는 궁중에 연못을 파서 술을 붓고 연못가 사방에 있는 나무에 고기를 매달게 하여, 배를 타고 가다가 손이 닿는 대로 술을 퍼 마시고 나무에 걸린 고기를 먹으며 달기라는 여인과 유희를 즐겼습니다. 게다가 총애하는 달기의 환심을 얻으려고 길가는 사람의 목을 베거나 다리를 자르는 일도 서슴지 않았습니다.

이러한 폭정이 계속되자 옆에서 지켜본 미자(微子), 기자(箕子), 비간(比干)의 형제들이 주왕에게 올바르게 정치할 것을 충고했지만, 주왕은 이 말을 듣지 않았어요.

주왕의 형인 미자는 여러 번 왕에게 충고해도 듣지 않자, 나라 바깥으로 망명해 버렸습니다. 그러자 기자(箕子) 역시 그의 형을 따라 망명했지요. 그러나 비간은 다른 형제들과 달리 끝끝내 주왕 곁에 남아서 충고를 했으나 결국 가슴이 찢기는 극형을 당하고 말았습니다. 신하들은 자신의 형제를 무참히 죽이고, 백성들에게 가혹한 정치를 일삼는 주왕을 지켜보고만 있을 수가 없었어요. 급기야 당시 주(周)족의 장이었던 서백(西伯)의 아들, 발(發)이 주왕을 몰아냈습니다. 그리고 새로운 주나라를 세우니, 좌우 문무백관들과 천하의 백성들이 모두 그를 따랐어요. 그가 바로 주나라의 무왕(武王)이었습니다.

무왕은 은나라 왕조의 제사를 받들기 위해 나라 바깥으로 망명한 미자를 불러들여 그에게 땅을 주고 송왕(宋王)으로 *봉했어요. 그리고 기자 역시 불러들여 자신을 보호하고 돕도록 했습니다. 기자는 무왕의 부름을 받고 주나라의 도읍으로 가던 도중, 과거 은나라의 옛 도읍지를 지나게 되었어요. 번화했던 옛 모습은 온데간데 없고, 옛 궁궐 터에 보리와 기장만이 무성하게 자라 있었습니다.

기자는 옛날과 지금이 너무나 달라서 회한에 찬 시 한 수를 읊었습니다.

보리 이삭은 무럭무럭 자라나고	(麥秀漸漸兮)
벼와 기장도 윤기가 흐르는구나.	(禾黍油油兮)
교활한 저 철부지(주왕)가	(彼狡童兮)
내 말을 듣지 않았음이 슬프구나.	(不與我好兮)

기자는 철없던 주왕을 가여워 하는 마음으로 이런 시를 읊었어요. 여기에서 '보리의 이삭이 무성한 것을 보고 탄식한다. 즉 고국의 멸망을 한탄한다.' 라는 맥수지탄(麥秀之歎)의 고사성어가 생겨났습니다. 기자는 주나라 무왕 곁에서 돕다가 후에 조선왕(朝鮮王)으로 책봉되었다고 전해요.

*봉(封) – 봉(封)이란 천자가 제후에게 땅을 떼어 줘서 나라를 세워 그곳의 백성들을 다스리게 하는 것을 말해요.

제자백가란 무엇일까?

춘추전국시대에 등장한 여러 사상가들을 한꺼번에 부를 때 '제자백가' 라는 말을 써요. 이 말의 유래는 *반고의 《한서(漢書)》〈예문지(藝文志)〉 제자략(諸子略)편에 수록된 사실을 근거로 '백가(百家)' 라는 말이 사용됐어요. 그리고 *사마천이 기록한 《사기(史記)》의 〈가의전(賈誼傳)〉에 기록된 "제자백가의 학문에 꽤 정통하다."는 구절에서 바로 '제자백가' 라는 말이 처음으로 나오게 됐어요.

백가(百家)란 모든 사상가, 즉 모든 사상을 나타내며 제자(諸子)란 여러 학자, 즉 여러 선비들을 가리키는 말입니다. 그러므로 제자백가란 선비들이 지닌 사상을 학파대로 분류한 것을 말하는데, 이 학파는 《사기》를 엮은 사마천의 아버지 사마담이 분류한 육가(六家)와 반고가 《한서》〈예문지〉에서 분류한 십가(十家)에 나타나 있어요.

사마담이 분류한 육가는 음양가(陰陽家), 유가(儒家), 묵가(墨家), 명가(名家), 법가(法家), 도가(道家) 등을 말하며, 반고가 분류한 십가(十家)는 유가(儒家), 도가(道家), 음양가(陰陽家), 법가(法家), 명가(名家), 묵가(墨家), 종횡가(縱橫家), 잡가(雜家), 농가(農家), 소설가(小說家) 등을 가리켰어요.

이런 측면에서 보면, 제자백가란 춘추전국시대 때 활약한 사상가들의 학파를 총칭해서 부른다는 것을 알 수 있습니다. 춘추전국시대라는 시대적 상황이 주나라 왕실을 중심으로 하는 봉건 질서가 붕괴되고, 신흥지주 계층들이 권력을 잡고 세력을 확장하려고 쟁탈하던 혼란한 시기였어요. 신흥지주들은 천하의 패권을 쟁취하기 위해 널리 인재들을 구하려고 혈안이 되어 있던 때였어요. 자신들의 영토를 넓히려고 필요한 인재를 구하는 상황에서 지식층이었던 선비들이 대거 출현하게 되었으며, 이들은 다양한 주장을 펼치게 되었어요.

그 지식층들은 때로는 한곳에 모여서 논쟁을 펴기도 했는데, 그곳이 바로 제(齊)나라 도읍인 서문의 직하(稷下)라는 곳이었습니다. 당시 직하에는 수백 명의 제자백가들이 모여 논쟁을 펼쳤다고 전해요. 그래서 '직하지학(稷下之學)'이라는 명칭이 생겨나기도 했습니다. 맹자를 비롯해 여러 이름난 제자백가들이 출입을 했는데, 성악설을 주장한 순자(荀子)는 직하지학의 장로(長老)를 맡기도 했어요.

이처럼 우후죽순처럼 등장했던 많은 제자백가들도 진(秦)나라와 한(漢)나라를 거치면서 쇠퇴의 길로 접어들었어요.

먼저 진나라는 6국을 통일한 뒤에 법가 사상을 받아들여 법치주의를 시행했으며, 이후 한나라 유방(劉邦)이 천하를 통일함에 다시 유가주의가 정통 사상으로 자리잡게 되어, 유가는 공자 이후 2,500년간이나 맥을 이어 오고 있어요.

다른 제자백가들은 그 뒤로 빛을 잃었으나, 완전히 없어지지는 않았습니다. 도가, 법가, 묵가, 명가, 법가와 음양가, 그리고 병가 등의 철학은 지금까지도 전해지며, 이 시대를 살아가는 현대인들에게 정신적 지주가 되고 있습니다.

*반고(班固, 32~92) – 중국 후한 초기의 역사가예요. 아버지가 살아생전에 이루지 못한 뜻을 받들어 고향에서 《한서(漢書)》 편집에 종사했으나, 62년경 국사를 고쳐서 다시 써야 한다는 중상모략으로 투옥되기도 했으나 명제(明帝)의 용서를 받아 풀려났으며, 20여 년이 걸려서 《한서》를 완성했다고 전해요.

*사마천(司馬遷, 기원전 145~기원전 86) – 전한 시대의 역사가로 《사기(史記)》를 쓴 사람이에요. 아버지 사마담(司馬談)의 관직이었던 태사령(太史令)의 벼슬을 물려받아 태사령으로 일했어요.

묵자는 어떤 사상가였을까?

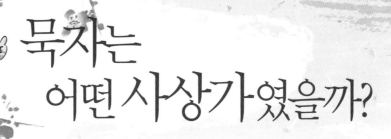

'서로가 사랑하면 천하가 태평해질 수 있다.' 고 주장한 사람은 묵자입니다.

묵자(墨子)의 이름은 적(翟)이며, 묵가의 창시자예요. 기원전 468년 전국시대 때 노나라에서 오랫동안 활약한 것으로 추측합니다.

묵자는 스스로 천민 출신이라고 말하며, 마차를 수공예로 만드는 곳에서 일했고, 쳐들어오는 적을 막기 위해 성을 쌓는 일과 방어무기를 제조하는 기술을 깊이 연구했어요. 그는 일찍이 주나라의 의례를 전수해 주러 노나라에 온 저명한 예관(禮官)인 사각(史角)이라는 사람의 후손에게 *육예를 배웠답니다.

묵자는 유가의 학문을 배웠지만 그의 생각은 달랐어요. 그의 철학 사상은, 사람은 동물과 달라서 누구나 자기의 힘으로 살아갈 수 있다고 강조했어요. 인간은 노력과 노동으로 자연세계를 삶에 적합하도록 변형하고 개조할 수 있다고 주장했어요. 묵자의 이 같은 주장은 당시 자연에 따르자는 도가의 철학 사상과 달랐으며, 도덕적인 측면에서 인간다움을 찾으려는 유가의 철학 사상과도 입장이 달랐습니다.

묵자의 대표적인 주장은 '겸애사상' 입니다. 세상의 모든 사람들이 서로 사랑해야 태평해질 수 있으며, 서로 미워하면 크게 어지러워질 수 있다는 것이 그의 생각이었어요. 묵자는 세상의 어지러움과 혼란스러움이 서로 사랑하지 않는 데서 일어난다고 봤어요. 이를 해결하기 위해서는 똑같이 사랑하고 서로 상대편을 이롭게 해야 한다고 했습니다.

겸애(兼愛)를 풀이해 보면 '아우를 겸(兼)', '사랑 애(愛)' 입니다. 즉 '모든 사람들이 서로 사랑해야 한다.' 는 뜻이에요. 세상이 밝고 아름다운 세상으로 바뀌려면 '남의 나라를 자기 나라처럼 보고, 남의 집을 자기 집처럼 보며, 남의 몸을 자기의 몸처럼 봐야 한다.' 라는 것이 묵자의 생각이었습니다.

다시 말해, 사람들이 자신만을 사랑하고 자신의 이익만을 추구하다 보면 다른 사람에 대해 차별적인 사랑이 생긴다는 것입니다. 그 차별적인 사랑 때문에 시기가 생기고, 도둑질이 일어나며 다툼이 생깁니다. 또 자기 나라의 이익만 추구하다 보면 국가 간에 분쟁이 그칠 날이 없게 되는 것입니다. 그러므로 묵자는 세상에서 가장 큰 재앙의 뿌리를 바로 차별하는 사랑으로 봤어요. 나와 남의 구별이 없고, 서로 사랑한다면 모든 사회적인 모순과 갈등의 병폐는 사라지고, 온 세상 사람들이 모두 평화롭게 살 수 있을 것이라고 생각했어요.

묵자의 겸애사상은 계급에 차별을 두지 않는 무차별의 평등사상이라고 할 수 있습니다. 이러한 묵자의 주장은 백성들을 위해 세상을 평화롭게 한다는 다른 제자백가들의 주장보다도 백성들 편에서 생각한 것이었습니다.

*육예(六藝) – 공자가 주나라 때에 했던 예(禮), 악(樂), 사(射), 어(御), 서(書), 수(數) 교육을 말해요. 여섯 가지 교육은 각각 예학(예의범절), 악학(음악), 궁시(활쏘기), 마술(말타기 또는 마차몰기), 서예(글씨), 산학(수학)에 해당해요.

무위정치란 무엇일까?

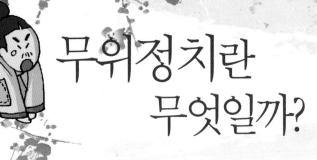

도가의 창시자는 노자로 알려져 있는데, 노자의 성은 이(李)이고, 이름은 담(聃)입니다. 생존 연대는 정확하게 알 수 없으나, 춘추시대 말 사람으로 추측하고 있어요.

도가의 이름이 생겨난 것은 한나라 때 사마담(司馬談)이 쓴 《논육가요지(論六家要旨)》라는 책에서 '도덕가'(道德家)라고 부르면서 처음으로 사용하게 되었어요. 도가의 중심 사상은 도(道)와 덕(德)을 기술한 노자의 《도덕경(道德經)》에서 찾아볼 수 있습니다.

노자는 "도(道)는 천지의 시작이며, 만물의 어머니로서 우주의 생성 원리이자 대원칙이다. 만물은 도에서부터 생성된 것이므로, 만물은 본질적으로 평등하며 차별이 없다."고 말했습니다. 이 말은 천지간의 모든 것을 도로 통제한다는 뜻입니다. 다시 말하면 천지간의 모든 사물들이 도로써 생겨나고, 도로써 없어지게 된다는 것이에요. 대자연의 순리에 의해 생겨났다가 소멸된다는 뜻이지요. 그러므로 대자연의 순리에서 생겨난 모든 사물들은 개인의 높고 낮음, 잘하고 못함, 잘생기고 못생김, 왕과 백성, 동물과 인간 등에 대해 차별할 수 없으며, 서로 비교해서 절대적 가치를 평가할 수 없다는 뜻입니다.

한마디로 도가에서 말하는 도는 인위적인 조작이 없는 자연의 질서대로 전개되는 대자연의 순리를 가리키는 것이에요.

인위적으로 무엇을 하고자 하는 마음이 없이, 자연으로부터 물려받은 그대로의 마음가짐으로 자연에 순응하며 살아가는 것이라고 말할 수 있어요. 예를 들어 숲에 비유하면, 숲에 있는 어떤 것도 인위적으로 손을 댄 흔적이 없는데도 대자연의 순리에 따라 무성하며 아름답게 존재한다는 것입니다. 그러므로 사람도 대자연의 순리에 따라 개인적인 이해와 욕망을 버린 채, 텅 비고 고요한 심경을 가지고 인위적인 어떤 것에도 방해 받지 않고 살아가면 절대적인 자유를 누릴 수 있습니다.

도의 입장에서 보면 사람들이 인위적인 것에 대해 아무것도 하지 않아도, 따지고 보면 자연의 순리대로 살아가기 때문에 하지 않는 것이 없는 것이에요.

이러한 도의 원리를 군주들이 본받아서, 나라를 다스릴 때 백성들에게 무엇을 하라고 강요하지 말고, 백성들 스스로 하도록 내버려 둠으로써 모든 것이 하지 않음이 없도록 해야 한다는 뜻입니다. 그러므로 도가에서 말하는 무위정치(無爲政治)란 '없을 무(無)' '하다 위(爲)', 즉 '인위적으로 행하지 않으면서도 대자연의 순리에 따르면 모든 것이 저절로 다스려진다.'는 도가의 정치 철학을 말합니다.

법치, 술치, 세치는 무엇일까?

법가사상은 제자백가의 하나로서 춘추시대 때 제나라 관중(管仲)과 정나라 자산(子産)에 의해 시작되었으며, 그후 전국시대에 들어와 위나라 이리(李悝)와 진나라 *상앙 등에 의해 발전한 사상이었어요.

상앙은 법치(法治)의 중요성을 주장했으며, *신불해는 술치(術治)의 중요성을 주장했고, *신도는 세치(勢治)의 중요함을 주장했어요. 그러나 전국시대 말기 즈음에 한(韓)나라의 한비(韓非)가 나타나 이 세 가지 치술을 종합해 법가사상을 집대성시켰습니다.

원래 한비는 전국시대 한나라 왕실의 공자였는데, 이사(李斯)와 함께 순자(荀子) 밑에서 학문을 배웠어요. 그후 진(秦)나라 임금 정(政)이 한비의 글을 보고 그가 가진 재능을 탐내 진나라로 초빙했어요. 그러나 한비의 능력을 시기한 이사(李斯)와 요가(姚賈)가 그를 모함해 결국 그를 옥중에서 자결하도록 만들었습니다. 하지만 그의 학설은 진나라의 중국 통일과 진 제국의 통치 이념에 큰 영향을 주었어요. 한비의 학설은 법(法)과 술(術)과 세(勢)를 병용하는 것이었어요.

그는 백성들을 통치하는 데는 법(法)이 필요하며, 관리를 다스리는 데는 술(術)이 필수적이며, 권위와 위세로써 법을 시행하는 데는 세(勢)가 필수불가결이라고 말했습니다.

이런 한비의 사상은 그의 스승이었던 순자의 영향을 많이 받았다고 합니다. 그는 유가에서 주장하는 덕으로 백성을 다스리는 덕치와, 예로써 백성을 다스리는 예치를 부정하고, 오직 엄격한 법의 시행과 *신상필벌(信賞必罰)의 원칙으로 나라를 다스리는 법치를 주장했습니다.

그의 세 가지 치술을 살펴보면,

첫째, 법치(法治)는 일종의 성문법(成文法)에 의한 정치를 말하는 것입니다. 백성들에게 미리 해야 할 것과 해서는 안 될 것을 알려 주고, 실천과 집행은 강제 집행력과 구속력을 가진 국가가 상벌의 원칙에 따라 실천에 옮기도록 하는 것이었어요.

둘째, 술치(術治)는 군주가 관리를 다스리는 군술(君術)을 말하는 것이에요. 다시 말해 군주가 신하에게 일을 맡기고 그 공적에 따라 상벌을 내리는 제도예요. 술치는 군주의 입장에서 신하들을 다루는 법이었습니다.

셋째, 세치(勢治)는 군주의 세력이에요. 다시 말해 군주의 힘과 지위를 말하는 것이지요. 군주가 군주 노릇을 할 수 있는 것은 군주의 힘과 지위가 있기 때문이라는 것이에요. 그러므로 군주가 막강한 힘과 위세를 가지고 있어야 백성들이 군주에게 복종하며, 백성들이 군주에게 거역할 수 없을 때에 법을 세워 정치를 시행할 수 있다는 것입니다.

*상앙(商鞅) – 전국시대 진나라의 정치가이며 법가를 대표하는 인물이에요.
*신불해(申不害) – 전국시대 한나라의 재상이며, 형명지학(刑名之學)의 대가예요.
*신도(愼到) – 전국시대 조나라 출신이며, 도가와 법가를 합성한 철학자예요.
*신상필벌(信賞必罰) – 공이 있는 사람에게는 반드시 상을 주고, 죄가 있는 사람에게는 반드시 벌을 주는 것을 말해요.

진시황제와 분서갱유

진(秦)나라 시황(始皇)은 기원전 221년 중국 천하를 통일했어요.

정치 제도는 주나라 때부터 내려오던 *봉건제도를 폐지하고, 중앙집권제인 *군현제를 실시했어요. 진나라 시황제는 천하를 통일하기 전부터 한비의 법치사상으로 백성들을 다스렸으며, 통일 후에도 그것을 바탕으로 강력한 법을 시행해 획일적인 사회 통제가 이루어질 수 있도록 했어요. 승상이었던 이사의 건의로 백성들이 일체의 법치제도를 비판하는 다른 학문과 사상들을 철저히 배척시키도록 했어요.

시황제 34년, 기원전 213년 유가의 학문을 공부했던 유생들이 진(秦) 제국이 실시한 군현제(郡縣制)에 대해 반대를 표명하며, 과거의 봉건제도를 부활시키고자 주장하고 나섰어요.

시황제는 일단 그들의 의견을 조정에 공론을 붙였어요. 그러나 철저한 법가사상으로 일관된 승상 이사는 반대를 하며 *우민정책의 일환으로 진시황에게 다음과 같이 건의했어요. "폐하께서 진나라 법령을 제정하시어 백성들은 모두 생산에 힘쓰며, 유생들은 법령 학습에 힘쓰고 있습니다. 그런데 유생들은 지금의 것을 배우지 않고 옛것으로써 현재를 비난하며, 백성들을 미혹하고 어지럽게 하고 있습니다. 그러니 폐하께서 진(秦)나라 서적이 아닌 것은 모두 태워 버리는 것이 좋겠습니다." 진시황이 이 말을 듣고 승낙했어요.

그래서 승상 이사는 법가를 제외한 모든 서적들, 즉 시(詩), 서(書)를 비롯해 다른 모든 백가(百家)들의 책을 지니고 있는 사람들에게 관청에 의무적으로 신고하도록 하고, 신고한 모든 책을 거두어 불태워 버렸어요. 이를 어기거나 또 옛것을 들먹이며 정치를 비판하는 사람은 그와 그의 가족 모두를 엄중한 형벌로 다스렸어요. 이렇게 해서 이 당시 유가의 경전들이 모두 불태워졌다고 합니다. 이것이 '분서'(焚書)였어요.

그 이듬해, 진시황의 명령으로 불로장생약을 구하러 갔던 신하들이 약을 구하지 못하자 진나라로 돌아가면 죽임을 당한다는 것을 알고서, 모두 달아나 버렸어요. 후에 이 사실을 알게 된 시황제는 분풀이로 함양(咸陽) 땅에 잡아두었던 유생들을 모두 구덩이를 파서 생매장해 버렸습니다. 이 당시 죽은 유생들이 460여 명이나 되었다고 해요. 이것이 '갱유'(坑儒)였습니다.

이 두 사건을 분서갱유(焚書坑儒) 또는 갱유분서(坑儒焚書) 사건이라고 부릅니다.

*봉건제도(封建制度) – 천자에게서 땅을 받아 그 지역의 백성을 다스리며 지배계급 내의 주종(主從)관계를 맺는 것을 말해요. 씨족 또는 혈연관계를 기반으로 했던 주(周)나라의 통치조직이에요.

*군현제(郡縣制) – 기원전 221년 진나라 시황제가 천하를 통일하자, 전국을 36개의 군(郡)으로 구획하고 전 영역에 현(縣)을 설치하여 중앙에서 통치했어요.

*우민정책(愚民政策) – 지배층의 정치 체제를 안정시키기 위해 백성들의 정치 비판력을 흐리게 봉쇄하는 정책이에요.

맹자

허경대 글 | 정민희 그림

01 맹자가 당시 여러 왕들에게 주장했던 정치는 어떤 것일까요?

① 민본정치 ② 법치정치 ③ 군주정치
④ 왕도정치 ⑤ 의회정치

02 아래의 가)와 나)에 해당하는 덕목은 어느 것일까요?

가) 자신의 행동을 부드럽게 하여, 모든 일을 신중하고 너그럽게 행하며, 그리고 남에게 믿음을 주고 또 예의바르게 행동하는 성품을 말한다. 공자가 주장한 으뜸 사상이기도 하다.

나) 일을 행함에 마땅함을 말하는 것이다. 마땅함이란, 옳고 그름을 분별하여 그 옳음을 택하는 것을 말하는 것이다.

① 가) 인(仁), 나) 의(義)
② 가) 의(義), 나) 인(仁)
③ 가) 인(仁), 나) 예(禮)
④ 가) 예(禮), 나) 인(仁)
⑤ 가) 예(禮), 나) 의(義)

03 맹자는 인간의 본성에서 우러나오는 네 가지 마음씨인 '사단지성'을 주장했습니다. '사단지성'에 해당하지 않는 것은 어느 것일까요?

① 측은지심 ② 시비지심 ③ 수오지심
④ 사양지심 ⑤ 선행지심

04 맹자는 사람이 태어날 때부터 갖게 되는 인간의 본성에 대한 학설을 설파했습니다. 무엇일까요?

① 성선설 ② 성악설 ③ 겸애설
④ 이기설 ⑤ 무위자연설

05 맹자는 제자들에게 '사람이 착하게 되는 것은 한 사람의 힘으로서 그를 바꾸기가 쉽지 않다.'라고 했습니다. 아래의 내용으로 연상되는 한자성어는 무엇일까요?

- 맹자: 제나라 아이에게 초나라 말을 가르치려면 초나라에 보내야 한다.
- 순자: 쑥이 삼대 밭에 자라게 되면 떠받쳐 주지 않아도 곧게 자란다.

① 연목구어(緣木求魚) ② 대기만성(大器晩成)
③ 근묵자흑(近墨者黑) ④ 간어제초(間於齊楚)
⑤ 죽마고우(竹馬故友)

06 맹자가 말한 '세속의 불효 다섯 가지'에 해당하지 않는 것은 어느 것일까요?

① 팔다리를 게을리하여 부모를 돌보지 않음
② 용맹을 좋아하고 싸우며, 부모를 위태롭게 함
③ 윗사람이 시키는 대로 하다가 부모를 욕되게 함
④ 재물을 좋아하며 처자식만 돌보고 부모를 봉양하지 않음
⑤ 장기와 바둑을 두며, 술 마시기를 좋아하여 부모의 봉양을 돌보지 않음

07 다음 글에서 자신의 마음속에 정직함이 커짐으로써 얻을 수 있는 이 기운은 무엇일까요?

맹자께서 제자들에게 "천지 간에는 지극히 크고 강한 기운이 있는데 이것은 사람이 마땅히 행해야 할 바른 도리를 행함으로써 생겨나는데, 다시 말하면 의리를 많이 축적해야 생겨나는 것으로, 자신의 마음속에 정직함이 커짐으로써 얻을 수 있는 것이다."라고 말씀하셨습니다.

07 호연지기(浩然之氣) : 호연지기는 의리(義理)를 많이 축적하여 생겨나는 것으로, 의리란 사람이 마땅히 행해야 할 바른 도리이며, 마땅히 행해야 할 바른 도리인지 아닌지를 스스로 반성해 봄으로써 항상 그 정직함을 얻을 수 있고, 자신의 마음속에 정직함이 커짐으로써 호연지기를 얻을 수 있다고 했습니다. / 08 과유불급(過猶不及)
09 오십보백보(五十步百步) : 오십 보 도망간 사람이 백 보 도망간 사람을 보고 비웃음
10 군자삼락이란, 군자의 세 가지 즐거움으로 첫째, 부모가 모두 생존해 계시고, 형제가 무고한 것으로 얻는 즐거움. 둘째, 우러러보아 하늘에 부끄럽지 않고, 굽어보아 사람들에게 부끄럽지 않는 것으로 얻는 즐거움. 셋째, 천하의 영재를 얻어, 가르침을 베풀어 얻는 즐거움을 말합니다.

08 다음 글에서 '지나침은 미치지 않는 것만 못하다.'라는 뜻을 가진 이 성어는 무엇일까요?

맹자께서 제자들에게 "얼핏 보면 받을 만하고 자세히 보면 받지 말아야 하는 경우에는 받지 않는 것이 옳다. 그것을 받으면 청렴함이 손상된다. 얼핏 보아 줄 만하고 자세히 보면 주지 말아야 할 경우에는 주지 않아야 한다. 주면 은혜를 손상하게 된다. 얼핏 보면 죽을 만하고 자세히 보면 죽지 말아야 할 경우에는 죽지 말아야 한다. 죽으면 용맹을 손상한다." (중략)…… '지나치게 받는 것은 청렴에 손상되고, 지나치게 주는 것 또한 은혜에 손상되고, 지나치게 죽는 것 또한 도리어 용맹에 손상된다.'라고 말씀하신 것은 지나치게 받거나, 주거나, 죽는 것은 오히려 받지 않거나, 주지 않거나, 죽지 않는 것만 못하다는 뜻입니다.

04 ① – ② 성악설–순자 : 인간의 본성은 태어나면서부터 악하다고 보는 주장 ③ 겸애설–묵자 : 인간은 누구나 구별하지 않고 평등하게 서로 사랑해야 하는 것이 하늘의 뜻이라는 주장 ④ 이기설–주자 : 이(理), 기(氣)의 개념을 구사하면서 우주의 생성과 구조 그리고 인간 심성을 밝히려는 주장 ⑤ 무위자연설–노자 : 인간의 의식적인 행위를 보태지 않고 자연 그대로의 상태를 추구하려고 하는 주장

05 ③ : 근묵자흑(近墨者黑)–먹을 가까이 하면 검어진다. 즉 자신이 처한 환경에 따라 달라진다는 의미입니다.

06 ③ : [illegible] 하고자 하는 대로 하다가 부모를 욕되게 함

09 다음 글에서 '약간의 차이를 가지고 있지만 본질적으로 같은 뜻'이라는 이 성어는 무엇일까요?

양혜왕이 자신의 나라를 이롭게 하려고 맹자님을 모셔 조언을 구하였습니다. 맹자께서는 평소 양혜왕이 전쟁을 좋아하시는 것을 알고, '전쟁터에서 병사들이 도망한 것'을 비유해서 양혜왕에게 조언을 해주었습니다.

---

10 맹자는 제자들에게 '군자의 즐거움에는 왕 노릇을 하는 것이 아니라 이 세 가지가 있다.'고 했습니다. 이 세 가지는 일명 '군자삼락(君子三樂)'이라고 말하는데, 이것은 무엇일까요?

정답

01 ④ – ① 민본정치 : 백성의 평등과 이익과 행복을 근본이념으로 하는 정치 ② 법치정치 : 국회에서 만든 법률로써 백성을 다스려야 한다는 정치 ③ 군주정치 : 임금이 나라의 주권을 행사하는 정치 제도. 입헌군주제도와 전제군주제도가 있음 ④ 왕도정치 : 군주가 덕으로 백성을 다스리는 정치 ⑤ 의회정치 : 국민이 뽑은 대의원으로 이루어진 의회가 나라의 최고 의사를 결정하는 정치 / 02 ①

03 ⑤ : 사단(四端)이란 인간의 본성에서 우러나오는 네 가지 마음씨를 말하며 곧, 인(仁) 의(義) 예(禮) 지(智)에서 우러나오는 측은지심(惻隱之心) 수오지심(羞惡之心) 사양지심(辭讓之心) 시비지심(是非之心)을 말합니다.

맹모삼천지교

'맹모삼천지교(孟母三遷之敎)'는 중국 전한 시대 말의 학자 유향이 지은 《열녀전(列女傳)》에서 비롯되었습니다. '맹자의 어머니가 세 번 옮기어 가르치다.'라는 의미이지요. 맹자는 어려서 아버지가 돌아가신 뒤, 어머니 손에서 교육을 받고 자랐습니다. 그의 어머니는 아들 교육에 남달리 관심이 많았습니다.
맹자가 어머니와 처음 살았던 곳은 공동묘지 근처였습니다. 그곳에서 맹자는 늘 장사 지내는 모습을 보게 되었고 그걸 따라 하며 노는 게 습관이 되었지요. 이 모습을 본 맹자의 어머니는 이사를 결심합니다. 그렇게 두 번째로 살게 된 곳은 시장 옆이었습니다. 이번에는 맹자가 시장에서 물건을 사고파는 상인들을 따라 하며 놀기 시작했습니다. 맹자의 어머니는 이번에도 안 되겠다 싶어, 마지막으로 글방 옆으로 이사를 갔습니다. 그러자 맹자가 예법을 차리는 걸 따라 하며 놀기 시작하였습니다. 맹자의 어머니는 그제야 더 이상 이사를 가지 않고 그곳에 머물러 살았다고 합니다. 어머니의 이러한 사랑과 노력 덕분에 맹자는 뛰어난 학자가 될 수 있었답니다.

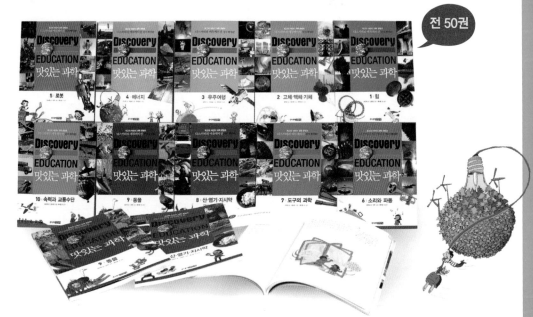